図解

法人税法

超入門

［令和6年度 改正］

税理士法人 山田＆パートナーズ 監修

宇田川 隆 編著

税務経理協会

はしがき

本書籍は，法人税法の基本的な仕組みを多くの方に知って頂きたい思いで2005年（平成17年）に初版を発刊し，気付けば発刊から19年が経過しました。その間に世界ではリーマンショック，EU 統合，中国経済の急成長，GAFA の台頭，ウクライナ危機等，また日本国内では東日本大震災等の自然災害，デフレの長期化，急激な円安進行等，様々なことが起こりました。そして，それらが経済に深く密接に絡み，我々個々人の生活に大きく影響していることを毎年の税制改正を追い続け，本書籍を改定する度に感じます。

そのような思いの中，令和６年度税改正大綱の冒頭，基本的考え方に記載されたあるワードに驚きました。「安いニッポン」と。それ自体は事実であり，すでに使われているものであるためワード自体に驚いた訳ではありません。しかし，日本の収入の方向性を示す税制改正大綱の冒頭に書かれたことに複雑な思いを感じたことも事実です。安いニッポンが訪日来客を呼び，円安により輸出企業は最高益を更新していることも事実であり，決して悪い側面だけを表現したい訳ではないと思いますが，今一度日本の置かれている状況を客観視している言葉だ，と私自身は税制改正大綱から感じ取りました。

令和６年度税制改正は，引き続き，賃金上昇を最優先課題とした改正がされています。所得税になりますが定額減税が実施され，また賃上げを積極的に行う企業には税額控除率を上乗せする等の改正がされています。その他にも新たに中堅企業の枠を設け，中堅・中小企業に対する税制支援措置も設けられました。賃上げや設備投資を支援することで経済（お金）の好循環を作り出そうとしている改正だと見て取れます。

ここ数年日本政府も賃上げに向けたメッセージを経済団体等に発信し続けていますし，労働力不足から優秀な人材確保，物価高への対応等から企業も賃上げを積極的に行っています。令和６年春闘においては５％超の賃上げが実現されています。世界における日本の先行き不安は払拭されていませんし，賃上げだけが解決策ではありませんが，日本で暮らすことの不安や心配が徐々に薄れていくことを祈りたいと思います。また，税の世界に身を置くものとして，社会やお客様のお役立てるよう，日々自己研鑽しなければいけないと思う次第です。毎年，はしがきの文章を作成していますが，税制改正の方向性や経済状況を踏まえ，勝手ながら思うことを書き綴っています。

令和６年度税制改正とは関係ありませんが，今年から第８章に合併や分割等の「組織再編」を追加しました。法人税法の基本的な仕組みを理解してもらうための書籍として敢えて割愛していましたが，昨今の企業の動きを見ていると初級編とはいえ，読者の皆様に知っておいて頂きたいと思い直し，追加しました。

今後も読者の皆様にとって使いやすい，分かりやすい，をより意識して，これからも改訂に携わっていきますし，この書籍が長く皆様に読まれ続けていただけるよう，努力してまいります。

最後に本書籍の改訂にあたり税務経理協会の皆様には大変お世話になりました。厚く御礼を申し上げます。法人税を勉強している学生，法人税の実務に携わる実務家や専門家など多くの方にお役立ていただけることを希望しております。

令和６年７月

税理士法人　山田＆パートナーズ
税理士　宇田川　隆

目　　次

第2章　収益の税務

第3章　資産の税務

第4章　費用・損失その他の税務

第５章　税額計算，申告，納付

第６章　地 方 税 の 計 算

第7章　グループ法人に係る税務

第8章　組織再編税制

『第１章』

法人税法の基本事項

第１節　納税義務者

１．法人の種類

(1)　法人の意義

法人税法では，その法人税を課す対象として『法人』を定義しています。法人税を納めなければならない者（納税義務者）は，『法の人』，つまり法律によって（自然人と同様に）権利能力を与えられた団体（人間の集まり）のことです。

法人には，会社法によって設立された株式会社，合名会社，合資会社および合同会社，医療法によって設立された医療法人，さらには協同組合や公社，公団，公庫などさまざまなものがあります。

また，日本の法律によって設立されたものだけではなく，外国の法律に基づいて外国で設立された法人が日本で事業活動を行う場合（外資系企業の日本支社等）も法人税法上の法人として扱われます。

(2)　人格のない社団

上記(1)の法人のように法律に基づいて設立されていなくても，あたかも法人として存在しているかのように活動し，社会的にもその存在を認知されている団体があります。例えば，労働組合やＰＴＡ，各種同業者団体などです。法人税法では，これらについても『人格のない社団等』として定義しており，課税の対象としています。

(3) 法人税法における法人の分類

このように，法人税法上の法人にはさまざまな種類がありますが，これらについて，およそ一律に同じ税率で法人税が課税されるのではありません。法人税法では，その設立の趣旨や社会的貢献等の事情からみて国民のためになるもの等については，非課税にしたり，課税する所得を限定したり，または税率を低くする手当てを施しています。このため各法人は以下のように分類されます。

法人の分類

区分	種　類	該当例
内国法人	公共法人	地方公共団体，国立大学法人 独立行政法人，日本政策金融公庫等
	公益法人等	宗教法人，学校法人，社会福祉法人 公益社団法人，公益財団法人 非営利型法人(注1) 特例民法法人等
	協同組合等	農業協同組合，商工組合，信用金庫等
	人格のない社団等	PTA，同窓会，同業者団体等
	普通法人	株式会社，合名会社，合資会社，合同会社等 特定普通法人(注2)
外国法人	人格のない社団等	
	普通法人	上記以外のすべての外国法人

(注1)　一般社団法人・一般財団法人のうち非営利性が高い等一定の要件を満たすものをいいます。

(注2)　一般社団法人もしくは一般財団法人または医療法人のうち普通法人であるものをいいます。

2．課税所得の範囲

わが国の法人税法では，法人の区分により課税所得等の範囲や税率が異なります。

法人の種類別による課税一覧

法人の区分			課税所得等
内国法人	公共法人		納税義務なし
	公益法人等	下記以外の公益法人等	収益事業にのみ低税率課税
		公益社団法人 公益財団法人	収益事業（公益目的事業に係るものを除く）にのみ普通税率課税
		非営利型法人	収益事業にのみ普通税率課税
		特例民法法人	収益事業にのみ低税率課税
	協同組合等		すべての所得に対して低税率課税
	人格のない社団等		収益事業のみ普通税率課税
	普通法人		普通税率により課税
外国法人	人格のない社団等		国内源泉所得のうち収益事業に係るものに対してのみ普通税率課税
	普通法人		国内源泉所得に対してのみ普通税率課税

第2節　事 業 年 度

1．趣　　旨

法人の存立期間があらかじめ定めてあるものは別として，法人が設立されると，その経営は永遠に続けられます。このことを継続企業（ゴーイングコンサーン）といいます。

継続企業ではいつまでも企業活動が続きますので，どれだけ利益が上がり，いくら法人税を納めるべきかを計算するには，人為的に期間を区切り，その期間の収益（益金）と費用（損金）を対比して利益（所得）を計算しなければなりません。この人為的に区切られた期間を事業年度といいます。

2．事業年度の決定方法

事業年度は“長さ（期間）”と“いつからいつまでか（開始日から終了日）”を自由に設定することができます。通常は1年間で，暦年の“1月～12月”や国の会計年度である“4月～3月”としているケースが多いようです。

事業年度は通常，会社を設立する際に定款によって定められます。定款で定めていない場合は，株主総会または取締役会で定めることとなります。

3．事業年度の変更

事業年度は自由に変更することができます。その場合には納税地の所轄税務署長に遅滞なく（なるべく速やかに）届け出なければなりません。

4．みなし事業年度

法人が事業年度の途中で解散や合併によって消滅してしまった場合には，消滅する直前までの“もうけ(所得)”に対して課税する必要があります。そこで，この最終事業年度に限っては，事業年度を特別に区切って課税することになっています。この特別に区切った事業年度を『みなし事業年度』といいます。

第３節　納　税　地

１．納税地の意義

納税地とは『税金を納める場所』のことですが，法人税法上の意味は『申告，申請，請求，届出，納付等を行うために所轄税務署を定める基準となる場所』のことです。

内国法人は，会社の本店または主たる事務所の所在地が納税地となります。外国法人は，日本国内にある支店等の所在地が納税地となります。

＜参考＞

会社を設立した場合は，設立の日から２か月以内に納税地等を記載した設立届出書を所轄税務署長に提出しなければなりません。

納税地を変更した場合には，遅滞なく変更前，変更後の納税地を記入した異動届出書をそれぞれの所轄税務署長に提出しなければなりません。

２．納税地の指定

原則に従い，法人の納税地とされた場所が，その法人の事業または資産の状況からみて納税地として不適当な場合には，所轄国税局長(または国税庁長官)が職権によりその納税地を指定することがあります。

第４節　法人税の計算の仕組み

１．法人税の種類

法人税の種類には大きく分けて以下の３つがあげられます。

①　各事業年度の所得に対する法人税

②　各連結事業年度の連結所得に対する法人税

③　退職年金等積立金に対する法人税（現在適用停止中）

これらのうち法人税を理解するうえで最も重要なのは，①の毎期の事業年度のもうけに対して課される『各事業年度の所得に対する法人税』です。

2．課税所得と企業利益（各事業年度の所得について）

“企業会計上のもうけである利益”は，当期の『収益』からこれに対応する『費用および損失』を差し引いて算定します。

これに対して“法人税法上のもうけである所得”は法人税法上の概念である『益金』から『損金』を差し引いて算定します。法人が事業活動を行う場合，毎期のもうけである『所得』に対して課税されるのが，上記①の『各事業年度の所得に対する法人税』です。

企業会計上の『利益』と法人税法上の『所得』はそれぞれ計算構造は同じですが，その計算要素である『収益』と『益金』，『費用および損失』と『損金』は必ずしも一致しません。なぜなら，企業会計は毎期法人の利益を算定することによって，その期の企業業績と財政状態を正確に表すのが目的ですが，法人税法における所得金額の計算は“課税の公平”を目的にしていることや国の政策上の配慮があるため，両者は完全には一致しないのです。

上記のような違いから法人税法上の所得は，企業会計上の利益にその差が生じる項目を加減算する形で算出されます。

法人税法上の課税所得＝企業会計上の利益±法人税法と企業会計の差異

3．税務調整の方法

損益計算書上の利益，および，法人税法上の課税所得は，次の算式により計算します。

損益計算書上の利益　＝会計上の収益－会計上の費用
法人税法上の課税所得＝税務上の益金－税務上の損金

法人税法上の課税所得は，この会計上の収益の額を税務上の益金の額に，および，会計上の費用の額を税務上の損金の額に修正する手続きを申告書上で行うことにより，算出されます。

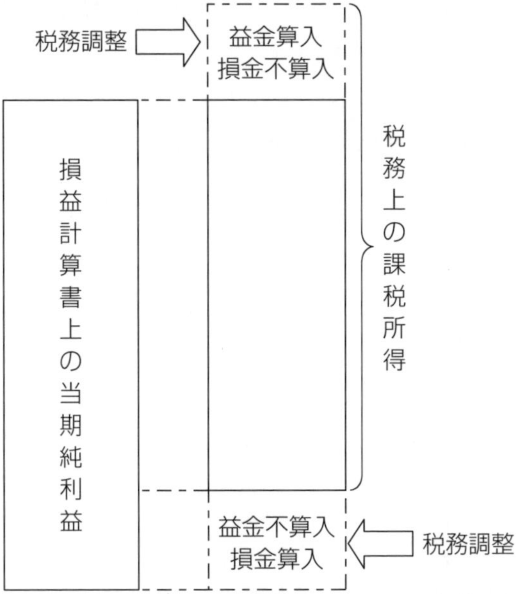

○　税務上の益金＝会計上の収益＋(1)益金算入項目－(2)益金不算入項目

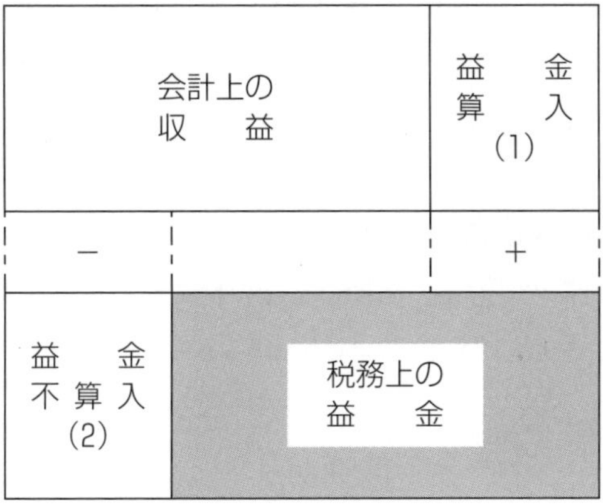

⑴　益金算入項目…会計上は収益とならないが，税務上は益金となるもの
　法人税額から控除する外国子会社の外国税額の益金算入　など

⑵　益金不算入項目…会計上は収益となるが，税務上は益金とならないもの
　受取配当等の益金不算入，還付金等の益金不算入　など

○　**税務上の損金＝会計上の費用＋⑶損金算入項目－⑷損金不算入項目**

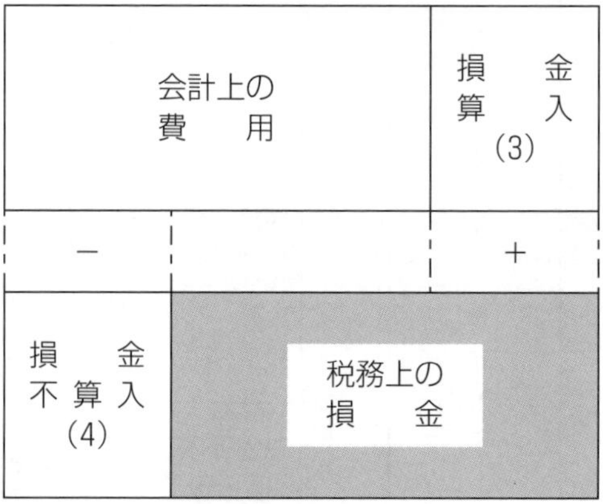

⑶　損金算入項目…会計上は費用とならないが，税務上は損金となるもの
　青色欠損金の繰越控除，収用等の所得の特別控除　など

⑷　損金不算入項目…会計上は費用となるが，税務上は損金とならないもの
　各種超過額の損金不算入，寄附金の損金不算入
　交際費等の損金不算入，税額控除を受ける所得税額の損金不算入　など

4．益金の額に含まれるもの

法人税の課税所得の計算上，当期の益金の額に算入される金額は，別段の定めがあるもの（法人税法に特別に規定されているもの）を除き，次の５つのグループに分けられます。

①　資産の販売による収益の額（売上高）

②　有償または無償による資産の譲渡による収益の額

③　有償または無償による役務の提供による収益の額

④　無償による資産の譲受けによる収益（受贈益）

⑤　その他の取引で資本等取引以外のものによる収益の額（特別の事由による評価益，債務免除等）

なお，②と③の“無償による資産の譲渡・役務の提供による収益の額”とは，『資産をタダであげた，つまり贈与した』ことや『タダでサービスした，すなわち，飲食業でいう無料招待を行った』ことによる収益のことです。

ここで，なぜ収益が発生するのかというと，法人税法では贈与した（タダであげた）場合にも『時価で譲渡して収益が実現し，同時にその資産をタダであげたために損失が生じた』と考えます。ただし，その損失が法人税法上の損金に該当するかどうかはまた別個に検討することとなっています。したがって，②と③における収益は益金として一度は認識されることとなるのです。

また，④の“無償による資産の譲受けによる収益の額”とは，要するに『他人（他法人）から資産をタダでもらった』際の収益，すなわち受贈益です。法人税法ではこの受贈益も益金として計算するのです。

5．損金の額に含まれるもの

法人税の課税所得の計算上，当期の損金の額に算入される金額は，別段の定めがあるもの(法人税法に特別に規定されているもの)を除き，次の3つのグループに分けられます。

①　当期の収益に対応する売上原価，完成工事原価，その他これらに準ずる原価の額

②　①のほか，当期の販売費，一般管理費その他の費用の額（ただし，償却費以外の費用で期末までに債務の確定しないものは除かれる）。

③　当期の損失の額で資本等取引以外の取引によるもの

6．資本等取引

(1)　資本等取引の概念

法人税法では，所得計算に関係させない取引として資本等取引を定めていま

す。

資本等取引とは次の取引をいいます。

①	資本金等の額を増加または減少させる取引
②	法人が行う利益または剰余金の分配

①は，株主との間の出資や減資のやり取りです。法人は株主から払い込まれた資本金を使って“もうけ(所得)”を得ます。その元本である資本金と所得を区別するために，株主との間の出資や減資のやり取りを資本等取引としています。

②は，課税済み利益の分配です。したがって，所得計算に関係させないように資本等取引に含めることにしています。

(2) 資本金等の額

資本金等の額とは，下記の表の**資本金等の額の財源項目**の合計額から**資本金等の額の減算項目**の合計額を減算した金額をいいます。

<table>
<tr><td rowspan="7">資本金等の額の財源項目</td><td>① 資本金または出資金の額</td></tr>
<tr><td>② 株式の発行価額または自己株式の譲渡対価の額のうち資本金に計上しなかった金額</td></tr>
<tr><td>③ 新株予約権の行使による払込金額のうち資本金に計上しなかった金額</td></tr>
<tr><td>④ 自己株交付をした取得条項付新株予約権の帳簿価額のうち資本金に計上しなかった金額</td></tr>
<tr><td>⑤ 協同組合等の加入金</td></tr>
<tr><td>⑥ 減資による資本金または出資金の減少額</td></tr>
<tr><td>⑦ その他組織再編により生じた合併差益などの受入剰余金</td></tr>
</table>

資本金等の額の減算項目	① 準備金または剰余金の資本組入額
	② 資本の払戻し等による減資資本金額
	③ 自己株式の取得等における取得資本金額
	④ 自己株式の取得対価
	⑤ その他会社分割などにより生じた差損金

第5節　青 色 申 告

青色申告とは，形式的には納税者が青色の申告書を用いて税務申告をすることです。実質的には，青色（ブルー）のイメージから想像（？）できるとおり，青色申告者による整然かつ明瞭な帳簿作成とこれに基づく誠実な申告を行う代わりに，税制上のさまざまな優遇措置が受けられる制度です。

1．青色申告の要件

青色申告を行うためには下記①，②が必要となります。

①　法定の帳簿を備え付けて記録・保存すること

具体的には以下の5つの要件を満たさなければなりません。

(イ)　複式簿記の原則に従っての記録

(ロ)　仕訳帳，総勘定元帳，その他必要な帳簿の備付け

(ハ)　棚卸表の作成

(ニ)　一定の科目をもって貸借対照表と損益計算書の作成

(ホ)　帳簿書類の7年間整理保存（欠損金の生じた事業年度においては下記の区分に応じ下記の期間）

・平成20年4月1日以後に終了した欠損金の生じた事業年度（下記の期間を除く）…9年間

・平成30年4月1日以後に開始する欠損金の生じた事業年度…10年間

② 納税地の所轄税務署長に青色申告の承認申請書を提出して，あらかじめ承認を受けること

なお，原則として青色申告の承認を受けようとする事業年度開始の日の前日が承認申請書の提出期限となります(注)。

(注) 法人を新規設立した場合は，設立日から３か月を経過した日と事業年度終了の日のうち，どちらか早い日の前日が提出期限となります。

2．青色申告の特典

青色申告を行った場合には，下記のようにさまざまな優遇措置を受けることができます。

① 欠損金の繰越し（第４章第12節２.参照）

② 欠損金の繰戻しによる法人税額の還付(注)

③ 各種の特別償却，割増償却

④ 推計による更正の制限，更正の請求の理由附記

等々

(注) 事業年度終了時の資本金の額が１億円以下であるもの等，一定の法人に限り適用されます。

『第2章』

収益の税務

第1節　営業収益の計上時期

1．通常の商品・製品等の販売

商品･製品等を相手方に引き渡した日が収益計上の時期となります。「引渡しのあった日」がいつであるかは，その商品・製品等の種類および性質，契約内容などに応じて，最も合理的であると思われるものを選択し，継続して適用します。

「引渡しのあった日」の例

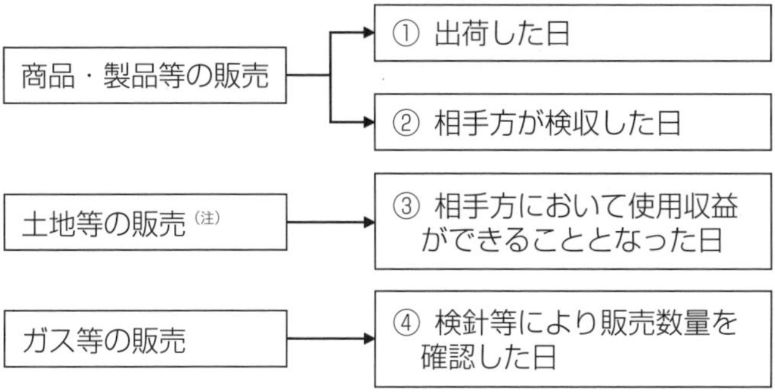

(注)　土地等の販売で引渡しの日が明らかでない場合，次に掲げるいずれか早い日に引渡しがあったものとすることができます。

①　おおむね50%以上の代金を受け取った日

②　所有権移転登記の申請をした日

2. 請負収益

物の引渡しがある請負契約（建築請負等）と，物の引渡しがない役務の提供だけの請負契約（技術指導等）とがあり，それぞれの収益計上時期は，次のとおりです。

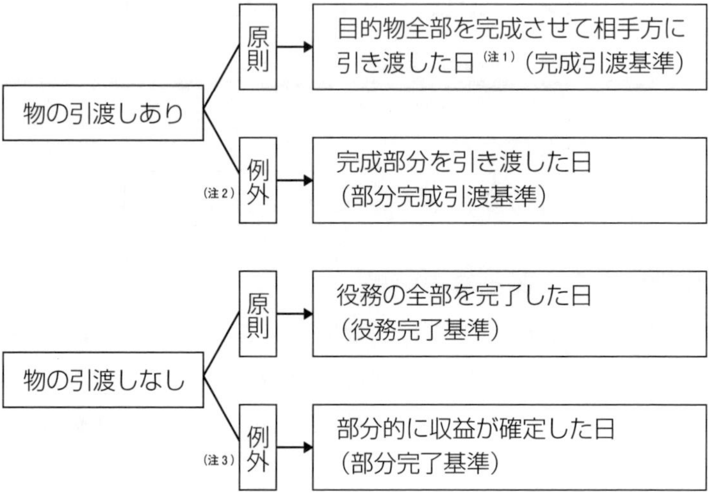

(注1) 建設工事等の請負契約の場合の引渡しの日は，その建設工事等の種類および性質，契約の内容などに応じて最も引渡しの日として合理的であると認められる日を選択し，継続適用します。

引渡しの日の例として，次のものがあげられます。

① 作業を結了した日
② 相手方の受入場所へ搬入した日
③ 相手方が検収を完了した日
④ 相手方が使用収益できることとなった日

(注2) 建設工事等の請負が次のような場合に該当するときは，部分完成引渡基準を適用します。

① 1つの契約で，同種類の建設工事等を多量に請け負い，その引渡しの量に応じて工事代金を受け取る特約または慣習がある場合
② 1つの建設工事等であっても，その一部が完成し，その完成した部分を引き渡したつど，その引渡しの量に応じて工事代金を受け取る特約または慣習がある場合

(注3) 技術役務の提供（設計，技術指導など）が次のような場合に該当するときは，部分完了基準を適用します。

① 報酬の額が，現地に派遣する技術者などの数および滞在期間の日数などにより決められ，かつ，一定の期間ごとにその金額を確定させて支払いを受けることとなっている場合

② 報酬の額が，作業の段階ごとに区分され，かつ，それぞれの段階の作業が完了するごとにその金額を確定させて支払いを受けることとなっている場合

ただし，その確定した報酬の支払期日により，一定の期間，収益計上を見合わせることができます。

部分完了基準の特例

一定の期間ごとまたは作業の段階ごとに確定した収益の額のうち

↓

役務の全部の提供が完了するまで，または１年を超える相当の期間が経過するまで支払いを受けることができない部分の金額

↓

役務の全部が完了する日と支払いを受ける日とのいずれか早い日を収益計上の日とすることができる

3．特殊な商品販売

(1) 委 託 販 売

委託販売取引とは，直接商品等を顧客に販売するのではなく，代理店などに商品等を積送して販売を委託する取引です。

＜収益計上時期＞

原　　則

代理店などの受託者が商品等を販売した日の属する事業年度

特　　例

売上計算書が売上のつど（週・旬・月を単位としても可）作成され，受託者から委託者に送付されている場合には，計算書の到達した日の属する事業年度とすることもできる。

(2) 試用販売

試用販売とは，あらかじめ顧客に商品等を引き渡して試してもらい，顧客が買取りの意思表示をしたときに売買契約が成立する取引です。

＜収益計上時期＞

相手方が購入の意思を表明した日（試用期間を定めている場合に，期間を過ぎても返品の意思表示がない場合には，その期間の終了の日）の属する事業年度

(3) 商品引換券等の販売

商品券，ビール券などの「商品引換券等」の発行により支払いを受ける対価の額は，原則として商品の引渡しまたは役務の提供（以下，「商品の引渡し等」という）のあった日の属する事業年度において収益計上します。

なお，商品の引渡し等が行われないまま下記の事実が生じた場合には，その事実が生じた日の属する事業年度で収益計上します。

(イ) 商品引換券等の発行の日から10年が経過した日

(ロ) 法人が発行した商品引換券等をその発行に係る事業年度ごとに区分して管理しないことにした日または管理しなくなった日

(ハ) その商品引換券等の有効期限が到来した日

(ニ) 法人が継続して収益計上を行うこととしている合理的な基準に達した日

上記(ロ)または(ニ)により収益計上する場合において，期末に未引換分の商品引換券等（有効なものに限る）があるときは，所定の算式により原価を見積り計上することができます（翌事業年度に同じ額を益金算入）。

4．長期割賦販売等

割賦販売とは，月賦などの賦払いの方法により，商品等の対価の支払いを受ける取引です。長期にわたる割賦販売は，代金の回収期間が長く，通常の商品売買に比較して代金回収のリスクが高い取引といえます。

また，割賦販売について通常の商品売買と同様に，商品等を引き渡した段階で売上計上した場合，代金が一部しか入金されていない状況にもかかわらず，代金全額に応じた法人税の負担をすることになってしまいます。

そのため，一定の要件に該当する割賦販売等（以下，「長期割賦販売等」という）については，商品等を引き渡した日に全額収益計上するのではなく，賦払金の割合に応じて収益および費用の計上を行う延払基準の適用を認めています。

(1)　延払基準が適用できる割賦販売等

次のすべての要件に合致する契約に基づいて行われる資産の販売等（資産の販売もしくは譲渡，工事の請負または役務の提供をいう）が対象となります。

ただし，工事進行基準の適用を受ける長期大規模工事は除かれます。

①　賦払回数が３回以上であること

②　目的物の引渡しまたは役務の提供の日の翌日から最後の賦払金の期日までの期間が２年以上であること

③　目的物の引渡期日までに受けるべき頭金等が対価の３分の２以下であること

(2)　延払基準の方法

次の算式により，各事業年度の収益および費用を計上します（確定した決算において延払基準の方法により経理をすることが必要になる）。

① 収　益 ＝ 長期割賦販売等の対価の額 × 賦払金割合（注）

② 費　用 ＝（長期割賦販売等の原価の額 ＋ 販売等に要した手数料の額）× 賦払金割合（注）

（注）　賦払金割合とは，次の算式により求めた割合です。

$$\frac{\text{期中に支払期日が到来する賦払金合計額※}}{\text{長期割賦販売等の対価の額}}$$

※ ［当期中に支払期日の到来した賦払金の合計額］ － ［当期中に支払期日の到来する賦払金の前期以前回収額］ ＋ ［翌期以後に支払期日の到来する賦払金の当期回収額］

(3)　延払基準の選択

個々の長期割賦販売等ごとに延払基準を選択適用できます。ただし，延払基準を選択適用したものについては，その後継続して適用することが必要です。

(4)　適 用 期 限

長期割賦販売等に係る延払基準は，平成30年４月１日以後に開始する事業年度から廃止されます。

①　経過措置

平成30年３月31日までに長期割賦販売等に該当する資産の販売等を一度でも行った法人については，経過措置として，令和５年３月31日以前に開始する各事業年度において延払基準の適用が可能です（長期割賦販売等に該当する資産の販売等を一度も行ったことのない法人については，平成30年４月１日以後に長期割賦販売等に該当する資産の販売等を行ったとしても，経過措置はなく，延払基準を適用することはできません）。

②　収益の認識

平成30年４月１日以後に開始する事業年度において，経過措置の適用を受けている法人が延払基準の適用をやめた場合には，適用をやめた時点で繰り延べていた利益の額をその延払基準の方法により経理しなかった事業年度において「全額をその事業年度の利益として計上」またはその事業年度以後の各事業年度において「10年間にわたり均等に分割して利益として計上」のいずれかを選択します。

なお，令和5年4月1日以後最初に開始する事業年度において，繰り延べていた利益の額がある場合には，その事業年度において「全額をその事業年度の利益として計上」またはその事業年度以後の各事業年度において「10年間にわたり均等に分割して利益として計上」のいずれかを選択します。

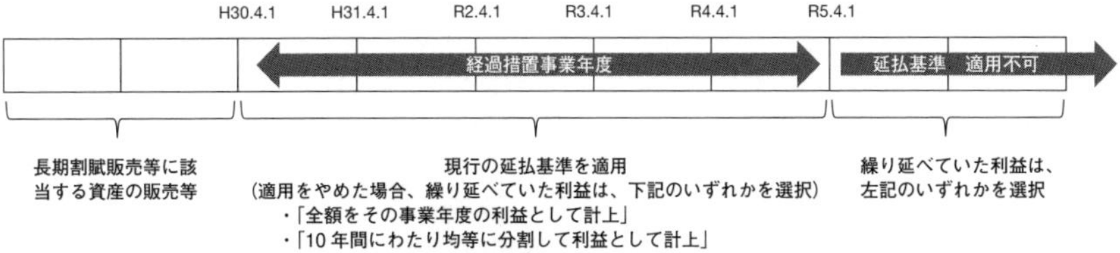

5. 工事進行基準

着工から完成まで長期間を要する建設工事等が行われた場合に，通常の請負工事と同様に完成引渡基準を採用すると，工事期間中の事業年度には事業が営まれているのにもかかわらず，まったく収益が計上されず，完成して引渡しをした事業年度にのみ多額の収益が計上されることになり，企業の業績を正しく反映することができなくなります。

また，長期にわたる建設工事等の場合には，着手金，中間金など，工事の進行過程での支払いが慣習としてあります。

そのため，工事期間や工事規模が一定の要件に該当する工事（長期大規模工事という）については，工事の進行に応じて収益および費用を計上する「工事進行基準」の適用が強制されています。

工事の区分と収益計上基準

区　　分	収益計上基準
① 長期大規模工事	工事進行基準
② 着工事業年度に目的物の引渡しが行われない工事 （①に該当する工事を除く）	工事進行基準または工事完成基準（選択適用）
③ ①，②以外の工事	工事完成基準

(1) 長期大規模工事

長期大規模工事とは，次の要件に該当する工事（製造およびソフトウェアの開発を含む）をいいます。

① 工事の着手の日から契約に定められている目的物の引渡しの期日までの期間が１年以上であること

② 工事の請負対価の額が10億円以上であること

③ 工事の請負対価の額の２分の１以上が当該工事の目的物の引渡期日から１年を経過する日後に支払われるものでないこと

長期請負工事に該当する場合には，工事進行基準が強制適用されることになります（ただし，事業年度終了時において工事着手の日から６か月を経過していない場合等には，工事進行基準を適用しないことができる）。

(2) ２事業年度以上にわたる工事（長期大規模工事を除く）

着工事業年度にその目的物の引渡しが行われない工事で，長期大規模工事に該当しないものについては，工事完成基準と工事進行基準の選択適用ができます。

工事進行基準は，個々の工事ごとに適用できますが，適用した場合は，着工事業年度から引渡事業年度まで継続適用しなければなりません（各事業年度の確定した決算で工事進行基準の方法により経理することが必要）。

なお，着工事業年度後の各事業年度の確定決算において，工事進行基準の方法により経理しなかったときは，以後の事業年度において工事進行基準を適用することはできず，完成引渡事業年度で収益および費用を一括計上しなければなりません。

(3) 工事進行基準の方法

次の算式により，各事業年度の収益および費用を計上します。

① 工事中の事業年度

(イ) 収益
$$\text{収益} = \left(\begin{array}{c}\text{工事の請負の対価の額}\\ \times \\ \text{工事進行割合}\end{array}\right) - \begin{array}{l}\text{前事業年度までに}\\ \text{計上した収益の額}\\ \text{の合計額}\end{array}$$

(ロ) 費用
$$\text{費用} = \left(\begin{array}{c}\text{工事原価の額}\\ \times \\ \text{工事進行割合}\end{array}\right) - \begin{array}{l}\text{前事業年度までに}\\ \text{計上した工事原価}\\ \text{の合計額}\end{array}$$

(注1) 工事原価の額とは，その事業年度終了時の現況により見積もられる工事の原価をいいます。

(注2) 工事進行割合は，次の算式によるもののほか，工事の進行度合を示すものとして，合理的と認められるものを使うことができます。

$$\text{工事進行割合} = \frac{\text{すでに要した原材料費，労務費，経費の合計額}}{\text{工事原価の額}}$$

② 引渡事業年度

(イ) 収益
$$\text{収益} = \begin{array}{l}\text{工事の請負の}\\ \text{対価の額}\end{array} - \begin{array}{l}\text{前事業年度までに計上}\\ \text{した収益の額の合計額}\end{array}$$

(ロ) 費用
$$\text{費用} = \text{工事原価の額} - \begin{array}{l}\text{前事業年度までに計上}\\ \text{した工事原価の合計額}\end{array}$$

第2節　営業外収益の計上時期

1．固定資産の譲渡

固定資産の譲渡による収益の額は，商品，製品等の販売と同様，その固定資産の「引渡しがあった日」に計上されます。

ただし，その固定資産が土地，建物等の場合には，譲渡契約の効力発生の日（一般的には売買契約書を取り交わした日）に計上することも認められています。

なお，棚卸資産である土地，建物等についてはこの取扱いはなく，「引渡しがあった日」に収益を計上しなければなりません。

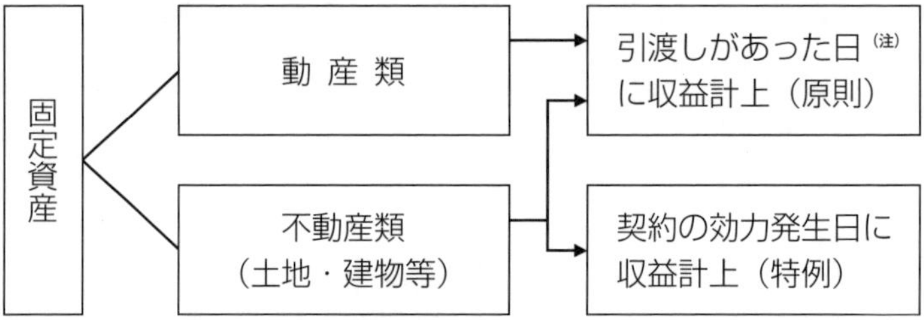

（注） 具体的には「相手方の使用収益開始の日」などが該当します。なお，土地等の譲渡で引渡しの日が明らかでない場合，次に掲げるいずれか早い日に引渡しがあったものとすることができます。

① おおむね50％以上の代金を受け取った日

② 所有権移転登記の申請をした日

2．利子・配当・受取使用料等

(1) 受取利子

① 収益計上時期の原則

貸付利息，預金利息，有価証券利息については，発生主義（利息の計算期間の経過に応じてその事業年度に係る収益を計算する方法）により収益を計上するのが原則です。

②　収益計上時期の特例

次の要件を満たす場合は，利払期基準（利息の支払期日に収益を計上する方法）を適用することもできます（金融や保険業を営む法人は適用できない）。

(イ)　支払期日が1年以内の一定の期間ごとに到来するものであること

(ロ)　継続して支払期日に収益を計上していること

しかし，借り入れた金銭を貸付けしているケースなどのように，借入金と運用資産である貸付金，預貯金，有価証券がひも付きの関係にあり，支払利子について発生主義を適用している場合には，貸付金等の利子について利払期基準を適用することはできません。

③　相当期間未収の利子

貸付金について，貸付けの相手方が債務超過になったことなどにより，相当期間利子が未収になっている場合には，実際に利子を受け取るまで，収益の計上を見合わせることができます。

(2)　受取配当

①　収益計上時期の原則

法人が受ける利益の配当等（株式の配当や剰余金の分配，投資信託の収益の分配など）については，その配当等の金額が確定したときに収益計上するのが原則です。

②　収益計上時期の特例

次の要件を満たす場合は，現金主義（実際に入金した日に収益計上する方法）の適用も認められています。

(イ)　配当金等の支払いが通常の支払期間内に行われるものであること

(ロ)　継続してその支払いを受けた日に収益計上していること

(3)　受取使用料等

賃貸借契約に基づく受取家賃等または工業所有権等の使用料の収益計上時期は次のとおりです。

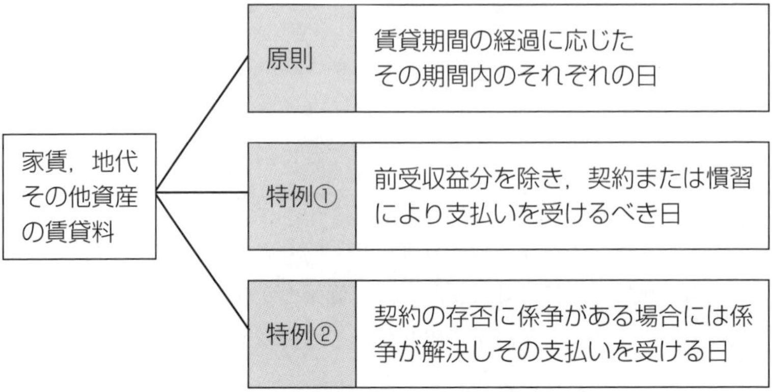

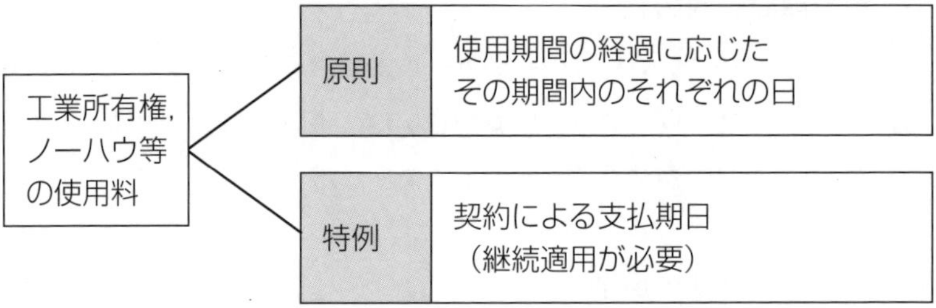

3．その他の収益

(1) 有価証券の譲渡損益の計上時期

原則	譲渡契約の成立の日
特例（注）	引渡しのあった日（継続適用が必要）

(注) 事業年度の終了の日にまだ引渡しをしていない有価証券に係る譲渡損益については特例の適用がありません。

(2) 損害賠償金の収益計上時期

原則	賠償金の支払いを受けることが確定した日
特例	賠償金の支払いを実際に受けた日

第3節　収益認識時の価額

商品・製品等を販売した場合や役務の提供をした場合に，収益の額として所得の計算上益金の額に算入する金額は次のとおりです。

なお，その対価の額が合意されていない場合は，その時の現況により適正に見積もります（確定時に差額を計上する）。

1．資産の販売または譲渡時

原則として資産の引渡しの時における価額

2．役務の提供時

通常得るべき対価の額に相当する金額

(注)　貸倒れまたは買戻しの可能性がある場合は，その可能性がないものとした場合の価額で計上します。

第４節　受取配当等の益金不算入

1．制度の概要

企業が株主に支払う配当金は，企業の税引後（つまり，すでに法人税および地方法人税，住民税，事業税および地方法人特別税が課税された後）の利益から支払われているものです。

そのため，株主が受け取った配当金に対して所得税や法人税を課税すると，二重に税金をかけることになってしまいます。

そこで，所得税においては配当控除，法人税においては受取配当等の益金不算入の規定を設けることにより，二重課税を排除しています。

ただし，企業が株式を所有するのは，「子会社などにしてその会社を支配する」目的である場合と，単なる「資産の運用」目的などである場合とがあり，それぞれ益金不算入割合が異なります。

株式等の保有目的	益金不算入割合
会社の支配	100%
資産の運用など	50%または20%

<table>
<tr><th></th><th>区分</th><th>株式等
保有割合</th><th>株式等
保有期間</th><th>益金不算入
割合</th><th>負債利子
控除</th></tr>
<tr><td>①</td><td>完全子法人株式等</td><td>100%</td><td>配当等の計算期間を通じて完全支配関係</td><td rowspan="2">100%</td><td>なし</td></tr>
<tr><td>②</td><td>関連法人株式等</td><td>100%未満
1/3超</td><td>配当等の基準日以前6か月以上</td><td>あり</td></tr>
<tr><td>③</td><td>その他の株式等</td><td>1/3以下
5%超</td><td>－</td><td>50%</td><td rowspan="2">なし</td></tr>
<tr><td>④</td><td>非支配目的株式等</td><td>5%以下</td><td>配当等の基準日において保有</td><td>20%</td></tr>
</table>

（注）なお，上記②～④の株式等保有割合については，令和４年４月１日以後開始事業年度からは，完全支配関係（100%グループ）がある他の法人が保有する株式数等も含めて判定します。

具体的には，次の算式により益金不算入額を計算します。

① 完全子法人株式等に係る受取配当等の額 ×100%

② （関連法人株式等に係る受取配当等の額 － 関連法人株式等に係る控除負債利子の額）×100%

③ その他の株式等に係る受取配当等の額 ×50%

④ 非支配目的株式等に係る受取配当等の額 ×20%

⑤ ①＋②＋③＋④＝受取配当等の益金不算入額

2．受取配当等の額の範囲

益金不算入の対象となる配当等か否かの判断は，基本的には株主の地位に基づき支払いを受けるものかどうか，によります。

配当等の額に含まれる	配当等の額に含まれない
剰余金の配当（注1）	外国法人からの配当金（注3）
利益の配当	公益法人等からの分配金
剰余金の分配	人格のない社団等からの分配金
特定株式投資信託の収益分配金（注2）	協同組合等の事業分量分配金
名義株配当金	投資信託の収益分配金（注4）
みなし配当　など	保険会社契約者配当金
	短期所有株式等の配当金　など

（注1） 資本剰余金の減少に伴うものを除きます。

（注2） 外国株価指数連動型特定株式投資信託を除きます。

（注3） 外国子会社からの配当金については，「5．外国子会社配当の益金不算入制度」を参照してください。

（注4） 特定株式投資信託を除きます。

3．短期所有株式等

(1) 概　　要

株式等をその配当等の額の支払いに係る基準日（信託の収益の分配にあっては，その計算の基礎となった期間の末日）以前1か月以内に取得し，同日後2か月以内に同一銘柄の株式等を譲渡した場合には，譲渡した株式等のうち所定の算式で計算したもの（短期所有株式等）の配当等の額について，受取配当等の益金不算入の規定が適用できません。

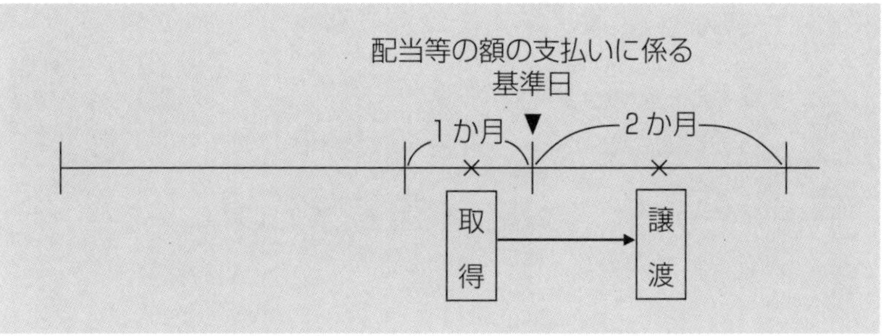

(2) 短期所有株式等の数

$$短期所有株式等の数 = E \times \frac{C \times \frac{B}{A + B}}{C + D}$$

A：配当等の額の支払いに係る基準日から1か月前の所有株式等の数

B：配当等の額の支払いに係る基準日以前1か月以内の取得株式等の数

C：配当等の額の支払いに係る基準日現在の所有株式等の数

D：配当等の額の支払いに係る基準日後2か月以内の取得株式等の数

E：配当等の額の支払いに係る基準日後2か月以内の譲渡株式等の数

(3) 短期所有株式等に係る配当等の額

$$配当等の額 \times \frac{短期所有株式等の数}{配当等の額の支払いに係る基準日の所有株式の数}$$

4．控除負債利子

受取配当等の益金不算入の規定を適用する場合において，その事業年度に支払う負債利子があるときは，所定の計算により算出した負債利子を受取配当等に対応する経費と考え，受取配当等から控除した額を益金不算入の計算の対象とします。控除負債利子の計算方法は，次のようになります。

関連法人株式等に係る配当等の額×４％

(注) その事業年度において支払う負債利子の額の10%相当額を上限とします。

なお，令和４年３月31日以前に開始する事業年度の控除負債利子の計算は，総資産按分法による場合，次のようになります。

$$支払利子 \times \frac{B}{A}$$

Ａ：総資産の前期末および当期末の帳簿価額の合計額

Ｂ：関連法人株式等の前期末および当期末の帳簿価額の合計額

(注)　総資産の帳簿価額は確定した決算に基づく会計上の帳簿価額です（ただし，一定の調整事項がある)。
　株式等の帳簿価額については税務上の帳簿価額によります。

5．外国子会社配当の益金不算入制度

外国子会社から受ける配当については，所得の計算上，益金の額に算入しません。

ただし，外国子会社の課税所得の計算上，損金の額に算入される配当については，益金の額に算入されるため，受取配当等の益金不算入の規定の適用はありません。

(1)　外国子会社の定義

「外国子会社」とは，内国法人が外国法人の発行済株式の25%以上の株式等を配当等の支払義務が確定する以前６か月以上引き続き直接に有している場合の外国法人を指します。

(2) 益金不算入額

配当金額の全額が益金不算入となるのではなく，5％部分を配当に係る費用相当額として控除した金額が益金不算入とされます。

益金不算入額＝外国子会社からの配当金額×95%

(3) 外国源泉徴収税額の取扱い

外国子会社からの配当の受取りに際し外国で源泉徴収された税金については，所得の計算上損金の額に算入しないとともに，外国税額控除の対象にもされません。

なお，益金の額に算入される配当に対して外国で源泉徴収された税金については，外国税額控除の対象になります。

外国子会社配当益金不算入制度のイメージ

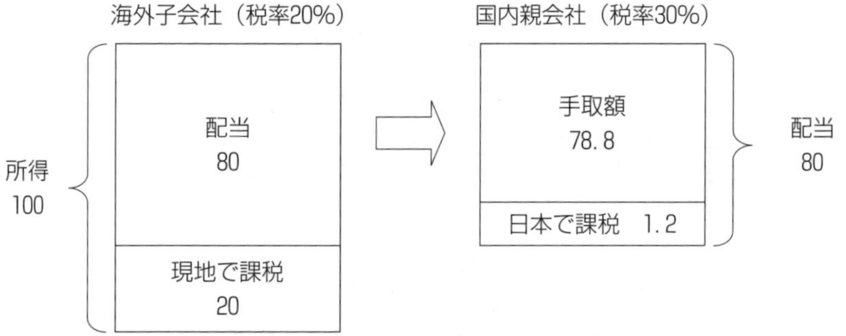

外国子会社からの配当については，配当額の95%を益金に算入しない。
すなわち，配当額の５％部分に対して税負担が発生する。
税負担額＝配当　80×(100%－95%)×30%＝1.2

（注）配当に対する外国での源泉徴収税額は考慮していない。

『第３章』

資 産 の 税 務

第１節　棚 卸 資 産

１．棚卸資産の意義

法人税法では棚卸資産を，商品・製品・半製品・仕掛品・原材料その他の資産（有価証券を除く）で棚卸しをすべきものと定めています。

具体的には以下のようなものがあげられます。

① 商品または製品（副産物および作業くずを含む）

② 半製品

③ 仕掛品（半成工事を含む）

④ 主要原材料

⑤ 補助原材料

⑥ 消耗品で貯蔵中のもの

⑦ 上記に掲げる資産に準ずるもの

例えば，不動産会社等が販売を目的として所有する土地・建物等が考えられます。

２．棚卸資産の取得価額

棚卸資産の取得価額は，購入の代価のほかに，原則として取得のためおよび販売の用に供するために直接要したすべての費用が含まれます。

税務上は棚卸資産の取得方法によって詳細な定めがなされています。棚卸資産の取得価額は以下の３つの区分に分けて考えます。

① 購入した棚卸資産（商品・原材料・貯蔵品等）

② 自己の製造・採掘・栽培等に係る棚卸資産（製品・半製品・仕掛品）

③ ①および②以外の方法によって取得した棚卸資産（交換・贈与などで取得した棚卸資産）

(1) 購入した場合の取得価額

取得価額		
購入代価	購入のために要した費用 (注１)	消費または販売の用に供するために直接要した費用 (注２)

(注１) 引取運賃，荷役費，運送保険料，購入手数料等
(注２) 購入事務費，移管費，保管費等

ただし，金額が少額な付随費用や特定の費用については，取得価額に算入しないこと，つまり損金として処理することができます。

＜取得価額に算入しないことができる費用＞

金額が少額な付随費用

下記の費用の合計額が当該棚卸資産の購入代価のおおむね３％以内の金額である場合

・買入事務，検収，整理，選別，手入れ等に要した費用の額

・販売所等から販売所等へ移管するために要した運賃，荷造費等の費用の額

・特別の時期に販売するなどのため，長期にわたって保管するために要した費用の額（通常の商品で売れ残り等により生じた保管費用は損金として処理することができる）

(注) 合計額が少額かどうかについては，事業年度ごとに，かつ，種類等を同じくする棚卸資産（事業所別に異なる評価方法を選択している場合には，事業所ごとの種類等を同じくする棚卸資産とする）ごとに判定することが

できます。

取得価額に算入しないことができる主な費用

・不動産取得税の額

・固定資産税および都市計画税の額

・登録免許税その他登記または登録のために要する費用の額

・借入金の利子の額

(2) 自社で製造，採掘，栽培等をした場合の取得価額

取得価額	
製造（採掘・栽培等）の原価（注1）	消費または販売の用に供するために直接要した費用（注2）

（注1） 原材料費，労務費，経費（製造間接費も含む）
（注2） 検査費，移管費，保管費等

<取得価額に算入しないことができる費用>

金額が少額な付随費用

下記の費用の合計額が当該棚卸資産の製造原価のおおむね3％以内の金額である場合

・製造等の後において要した検査，検定，整理，選別，手入れ等の費用の額

・製造場等から販売所等へ移管するために要した運賃，荷造費等の費用の額

・特別の時期に販売するなどのため，長期にわたって保管するために要した費用の額

（注） 合計額が少額かどうかについては，事業年度ごとに，かつ，種類等を同じくする棚卸資産（工場別に原価計算を行っている場合には，工場ごとの種類等を同じくする棚卸資産とする）ごとに判定することができます。

製造原価に算入しないことができる主な費用

・事業税，特別法人事業税の額
・生産を相当期間にわたり休止した場合のその休止期間に対応する費用の額
・償却超過額その他税務計算上の否認金の額
・借入金の利子の額

(3) (1)および(2)以外の方法によって取得した場合の取得価額

取得価額	
取得のために通常要する価額(時価)	販売の用に供するために直接要した費用

(注) ただし，適格合併など一定の組織再編により取得した棚卸資産の取得価額については，別途定めがあります。

3．売上原価の算定

売上原価とは，収益である売上高に対応する原価をいい，次の算式で算定されます。

期首棚卸高 ＋ 仕入高 － 期末棚卸高 ＝ 売上原価

期首棚卸高は，前期末に算定された金額であり，仕入高は前述した取得価額で計算されます。したがって，売上原価を算定するためには期末棚卸高を把握しなければなりません。

4．棚卸資産の評価方法

期末棚卸資産の評価額を算定するためには数量を把握し一定の評価方法で評価を行わなければなりません。

(1) 数量の把握

期末棚卸資産の数量は，原則として各事業年度終了のときに実地棚卸，つまり棚卸資産の現物を実際に数えることによって把握します。

実地棚卸が必要な理由は，仕入れや払出しを継続的に帳簿に記載している場合には，帳簿上の期末の棚卸資産数量を把握することはできますが，減耗や出庫ミス等により当該帳簿上の数量が実際の数量と異なることがあるからです。

⑵　評価方法

期末棚卸資産を評価するためには，棚卸資産の評価方法を選定しなければなりません。棚卸資産の評価方法には，大きく区分して原価法と低価法に分けられ，原価法はさらに6つの方法に分けられます。

評価方法の選択にあたっては，確定申告書の提出期限までに納税地の所轄税務署長に届出を行う必要がありますが，届出を行わなかった場合は，最終仕入原価法で評価することになっています。

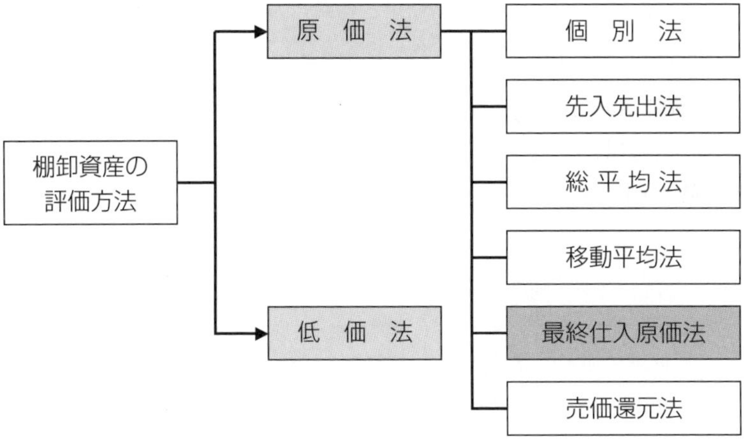

①　原価法

㈠　個別法

期末棚卸資産を個々の取得価額で評価する方法です。この方法は棚卸資産が個別に管理されていることが必要であり，大量に取引され，かつ，規格に応じて価格が定められているようなものは利益調整が可能となるため認められていません。

(ロ) 先入先出法

期末棚卸資産が期末に近い時期に取得したものから順次構成されているものとみなして評価する方法です。

(ハ) 総 平 均 法

期首棚卸資産の取得価額と期中に取得した棚卸資産の取得価額の合計額をこれらの総数量で除して単価を算定し評価する方法です。

(ニ) 移動平均法

棚卸資産を取得したつど，繰越価額と仕入価額の合計額を繰越数量と仕入数量の合計数量で除して単価を算定し評価する方法です。

(ホ) 最終仕入原価法

期末に最も近い時期に取得した棚卸資産の仕入単価で評価する方法です。棚卸資産の評価方法の届出を行わなかった場合は，この方法で評価しなければなりません。

(ヘ) 売価還元法

通常の販売価額に原価率を乗じて評価額を算定する方法です。

② 低　価　法

低価法とは，原価法によって評価した金額と事業年度終了の時の時価を比較し，いずれか低い方の金額で評価する方法です。

原価法による評価額	＜	時価	⟶	原価法による評価額で評価
原価法による評価額	＞	時価	⟶	時価で評価

上記のように，低価法を採用した場合，時価が下落していれば原価法による評価に比べて期末棚卸高が小さくなります。売上原価は，期首棚卸高＋仕入高－期末棚卸高で算定されますので，期末棚卸高の金額が小さくなれば売上原価が大きくなり，利益が減って納める法人税も減少することになります。

第2節 有 価 証 券

1．有価証券の意義

法人税法上の有価証券は，金融商品取引法上の有価証券とその他これに準ずるものをもって構成されています。主なものとして次のようなものがあります。

(1) 主な金融商品取引法上の有価証券

① 国 債 証 券

② 地方債証券

③ 社　債　券

④ 株券，新株予約権証券

⑤ 投資信託または貸付信託の受益証券

⑥ コマーシャルペーパー

(2) その他(1)に準ずるもの

① 有価証券が発行されていない場合で(1)の金融商品取引法上の有価証券に表示されるべき権利

② 合名会社，合資会社または合同会社の社員の持分

2．有価証券の区分

保有目的別に応じて次のように区分して処理されます。

名　　称	定義（保有目的）
売買目的有価証券	短期的な時価の変動を利用して，利益を得る目的で取得し保有する有価証券。ただし，下記の企業支配株式等に該当するものは除きます。
満期保有目的等有価証券	償還期限の定めのある有価証券のうち，償還期限まで所有する目的で取得し保有する有価証券
	企業支配株式等。会社の特殊関係株主等（株主と親族，その他グループ）で，20%以上の株式を所有している場合のその会社の株式
その他有価証券	上記以外の有価証券

3．有価証券の取得価額

有価証券の取得価額はその有価証券の取得方法によって算定方法が規定されています。

(1) 購入した有価証券

購入代価に購入手数料その他有価証券の購入のために要した費用を加算した金額が取得価額となります。

取得価額 ＝ 購入代価 ＋ 購入手数料 ＋ その他の購入費用(注)

(注) 例えば，証券会社に対して支払う支払手数料や通信費，名義書換料等があります。ただし，通信費，名義書換料は購入費用に含めないことができます。

(2) 金銭の払込みまたは金銭以外の資産の給付により取得した有価証券

払込金額等に取得のために要した費用の額を加算した金額が取得価額となります。

取得価額 ＝ 払い込まれた金銭の額および給付をした金銭以外の資産の価額の合計額 ＋ 取得のために要した費用

(3) 株式等無償交付により取得した株式または新株予約権

原則として課税関係が生じないため取得価額はゼロ（0）となります。

取得価額 ＝ ゼロ（0）

(4) 新株など有利な発行価額で取得した有価証券

取得時におけるその有価証券の取得のために通常要する価額，すなわち時価が取得価額となります。なお，有利な発行価額とは株式の価額と払込金額との差額が，株式の価額のおおむね10％相当額以上の発行価額をいいます。

取得価額 ＝ 取得時におけるその有価証券の取得のために通常要する価額（時価）

(5) 上記(1)から(4)以外の方法により取得した有価証券

取得時におけるその有価証券の取得のために通常要する価額，すなわち時価が取得価額となります。

取得価額 ＝ 取得時におけるその有価証券の取得のために通常要する価額（時価）

(注) ただし，適格合併など一定の組織再編により取得した有価証券や株式交付制度により取得した株式，取得請求権付株式，取得条項付株式，全部取得条項付種類株式等の取得価額については別途定めがあります。

4．有価証券の譲渡原価の計算方法

譲渡原価の算定方法は，以下のように定型化されています。

有 価 証 券

期首帳簿価額	譲渡原価	＝ １単位あたりの帳簿価額 × 譲渡有価証券の数
当期の取得価額	期末帳簿価額	＝ １単位あたりの帳簿価額 × 期末有価証券の数

5． １単位あたりの帳簿価額の算出方法

有価証券の区分ごとに以下の方法のいずれかを選択することになります。

⑴ 総 平 均 法

同じ銘柄の有価証券について，期首に所有していた有価証券の帳簿価額と当期中に取得した有価証券の取得価額の総額との合計額を，これらの有価証券の総数で除して平均単価を算出する方法です。この方法を選択した場合には，平均単価は期中を通じて一定となります。

$$\text{１単位あたりの帳簿価額（平均単価）} = \frac{\text{期首有価証券の帳簿価額} + \text{当期に取得した有価証券の取得価額}}{\text{期首有価証券の数} + \text{当期に取得した有価証券の数}}$$

<設　例>

期首に株式を5,000円分（50株×@100）所有していました。当期に株式を61,000円分（500株×@122）と63,000円分（450株×@140）の２回に分けて総額124,000円分（950株）取得しました。このうち，期中に400株を譲渡しました。１単位あたりの帳簿価額および譲渡原価の計算は以下のようになります。

株　　式

期首帳簿価額 50株×@100 ＝5,000円	譲渡原価
当期取得価額 (500株× @122) ＋(450株× @140) ＝124,000円	期末帳簿価額

期首株式の帳簿価額5,000円 ＋ 当期に取得した株式の取得価額124,000円

期首有価証券の数50株 ＋ 当期に取得した有価証券の数950株

＝1単位あたりの帳簿価額（平均単価）@129

1単位あたりの帳簿価額@129×譲渡株式の数400株

＝譲渡原価51,600円

(2) 移動平均法

同じ銘柄の有価証券を取得したつど，取得直前の帳簿価額とその取得した有価証券の取得価額を合計し，その合計額をこれらの有価証券の総数で除して平均単価を算出する方法です。この方法を選択した場合，有価証券を取得したつど，平均単価を計算し直します。

1単位あたりの帳簿価額（平均単価）＝

取得直前の有価証券の帳簿価額 ＋ 新たに取得した有価証券の取得価額

取得直前の有価証券の数 ＋ 新たに取得した有価証券の数

＜設 例＞

4月1日に株式を5,000円分（50株×@100）所有していました。4月5日に新たに株式を61,000円分（500株×@122）取得しました。このうち，5月6日に400株譲渡しました。その後，5月25日に新たに63,000円分（450株×@140）取得しました。5月6日時点の1単位あたりの帳簿価額および譲渡原価の計算は以下のようになります。

株 式

取得直前帳簿価額 50株×@100 ＝5,000円	5月6日譲渡原価
4月5日新たに取得した取得価額 500株×@122 ＝61,000円	譲渡直後帳簿価額

取得直前の有価証券の帳簿価額5,000円＋４月５日に取得した有価証券の取得価額61,000円

取得直前の有価証券の数50株＋４月５日に取得した有価証券の数500株

＝１単位あたりの帳簿価額（平均単価）@120

１単位あたりの帳簿価額@120×譲渡株式の数400株

＝譲渡原価48,000円

＜１単位あたりの帳簿価額の算出方法の届出＞

有価証券を取得した場合，取得した日の属する事業年度の確定申告書提出期限までに１単位あたりの帳簿価額の算出方法（総平均法によるかまたは移動平均法によるか）を書面により納税地の所轄税務署長に対して届出を行わなくてはなりません。

また，１単位あたりの帳簿価額の算出方法の選定を届け出たにもかかわらず当該方法により算出しなかった場合，または算出方法の選定を届け出なかった場合には，法定算出方法である移動平均法で１単位あたりの帳簿価額を算出することになります。

さらに，有価証券の１単位あたりの帳簿価額の算出方法を変更する場合には，新たな算出方法を採用しようとする事業年度の開始の日の前日までに，納税地の所轄税務署長に申請書を提出し承認を受けなければなりません。

選定の単位	有価証券の区分・種類ごとに選定します。
選定した方法により算出しなかった場合または算出方法の選定を届け出なかった場合	法定算出方法として定められている移動平均法により算出します。
選定を変更しようとする場合	変更しようとする事業年度の開始日の前日までに承認を受けなければなりません。

6．有価証券の時価評価損益

(1) 期末における有価証券の評価

有価証券の区分によって評価方法および評価損益の認識の有無に差異が生じます。

有価証券の区分	評価方法	評価損益
売買目的有価証券	時価法	認識します
満期保有目的等有価証券 （企業支配株式を含む）	原価法	認識しません
その他有価証券	原価法	認識しません

(注1) 時価法とは，期末の市場価額（時価）をもって有価証券を評価する方法です。
この場合，有価証券の評価損益を認識し，所得金額の計算上，損金または益金の額に算入することになります。

(注2) 原価法とは，期末の帳簿価額をもって有価証券を評価する方法です。
この場合，有価証券の評価損益は認識されません。

(注3) 評価損益とは，期末の帳簿価額と期末の市場価額(時価)との差額をいいます。

期末の帳簿価額＜期末の市場価額（時価）＝評価益

期末の帳簿価額＞期末の市場価額（時価）＝評価損

(2) 時価法により評価された売買目的有価証券

時価法を採用しているため事業年度終了時に評価損益が認識されます。

① 事業年度終了時

事業年度終了時に売買目的有価証券から生じた評価益または評価損は，その事業年度の所得金額の計算上，益金の額または損金の額に算入することになります。

	所得計算上	法　人　税
評　価　益	益金に算入	増加
評　価　損	損金に算入	減少

② 翌事業年度

上記①において，その事業年度の所得金額の計算上，益金の額または損金の額に算入した評価益または評価損に相当する金額は，翌事業年度の所得金額の計算上，損金の額または益金の額に算入します。また，翌事業年度開始の時における売買目的有価証券の帳簿価額は，評価益に相当する金額を減算し，または評価損に相当する金額を加算した金額となります。これを洗替え処理といいます。

	当該事業年度の処理	翌事業年度の処理
評　価　益	益金に算入	評価益に相当する額を損金に算入
評　価　損	損金に算入	評価損に相当する額を益金に算入

(3) 原価法により評価された満期保有目的等有価証券およびその他有価証券

原価法を採用しているため評価損益は認識されません。

第3節　固定資産

1．固定資産の意義

固定資産とは，土地・建物や機械設備など長期にわたって会社の中にとどまり経営活動に使用される資産です。流動資産のひとつである棚卸資産のように販売または生産のために消費されるものとは異なった性質を持っています。

法人税法において，固定資産とは，土地（借地権等の土地の上に存する権利を含む），減価償却資産，電話加入権およびその他の資産で政令で定めるものをいい，棚卸資産や有価証券，繰延資産とは区別して規定されています。

また固定資産は，減価償却資産と非減価償却資産に分けることができます。

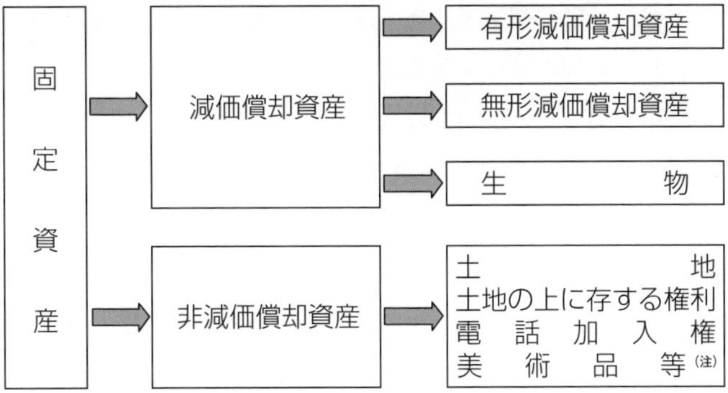

(注)　平成27年1月1日以後に取得した美術品等について，取得価額が1点100万円以上のものは，原則として非減価償却資産に該当します。

さらに減価償却資産は，有形減価償却資産，無形減価償却資産，生物に分けられ，それぞれの具体的な内容は以下のようになります。

有形	① 建物およびその附属設備 ② 構　築　物 ③ 機械および装置 ④ 船　　　舶 ⑤ 航　空　機 ⑥ 車両および運搬具 ⑦ 工具，器具および備品
無形	① 鉱　業　権 ② 漁　業　権 ③ 特　許　権 ④ 実用新案権 ⑤ 意　匠　権 ⑥ 商　標　権 ⑦ ソフトウエア ⑧ 公共施設等運営権 ⑨ 営　業　権 ⑩ 電気通信施設利用権等
生物	① 牛，馬，豚，綿羊等 ② かんきつ樹，りんご樹，ぶどう樹，なし樹等 ③ 茶樹，オリーブ樹，つばき樹等

ただし，上記の減価償却資産にあてはまる資産でも次のようなものは非減価償却資産とされ，償却の対象から除かれます。

① 事業の用に供していないもの

② 時の経過あるいは使用によって価値が減少しないもの

2．固定資産の取得価額

減価償却資産の取得価額には，原則として資産の購入代価のほか，取得に際して発生した付随費用および事業の用に供するために直接要した費用が含まれます。

また，減価償却資産以外の固定資産の取得価額については，特に定められているものもありますが，それ以外については減価償却資産の取得価額の定めに準じて取り扱われます。

なお，次のような租税公課等については，固定資産の取得に際して発生したものであっても固定資産の取得価額に算入しないことができます。

① 不動産取得税または自動車取得税

② 登録免許税その他登記または登録のために要する費用等

具体的な減価償却資産の取得価額については，取得方法によって次のように算定されます。

(1) 減価償却資産を購入した場合

購入により取得した場合の取得価額は，以下のようになります。

取得価額 ＝ 購入の代価（購入代金(注1) ＋取得経費(注2)）＋
当該資産を事業の用に供するために直接要した費用(注3)

（注1） 購入先に支払った代金

（注2） 引取運賃，荷役費，運送保険料，購入手数料，関税（附帯税を除く），その他購入のために要した費用

（注3） 据付費，試運転費，改良費等

(2)　減価償却資産を自己で建設，製作，製造した場合

建設，製作，製造により取得した場合の取得価額は，以下のようになります。

取得価額 ＝ 建設・製作・製造の原価（原材料費 ＋ 労務費 ＋ 経費）
＋ 当該資産を事業の用に供するために直接要した費用

(3)　自己が牛馬等を取得し育成させた場合

牛馬等を取得し育成させた場合の取得価額は，以下のようになります。

取得価額 ＝ 成育させるために取得した牛馬等の購入代価等または種付費・出産費 ＋ 成育のために要した，飼料費，労務費，経費 ＋ 成育させた牛馬等を事業の用に供するために直接要した費用

(4)　自己が果樹等を取得し成熟させた場合

果樹等を取得し成熟させた場合の取得価額は，以下のようになります。

取得価額 ＝ 成熟させるために取得した果樹等の購入代価等または種苗費 ＋ 成熟のために要した，肥料費，労務費，経費 ＋ 成熟させた果樹等を事業の用に供するために直接要した費用

(5)　上記以外の方法により減価償却資産を取得した場合

上記(1)から(4)以外の方法により取得した減価償却資産の取得価額は，以下のようになります。

取得価額 ＝ 取得の時におけるその資産の取得のために通常要する価額（時価）＋ 当該資産を事業の用に供するために直接要した費用

(注)　ただし，適格合併など一定の組織再編により取得した減価償却資産の取得価額については，別途定めがあります。

3．減価償却

(1) 減価償却とは

固定資産を取得し，その取得価額を資産に計上した後，これを規則的・計画的に各事業年度の費用として配分する手続きを減価償却といいます。

減価償却資産は通常の会社の事業の用に供されることによってその使用可能期間にわたり収益を生み出していると考えられます。したがって，各期の収益に対応した費用計上（損金経理）を使用可能期間にわたって行うことが会計上も税務上も大切なことといえます。

減価償却によって配分された費用を減価償却費といいます。このうち課税所得の計算上損金の額に算入される金額は，株主総会の承認等により確定した決算で償却費として損金経理をした金額のうち，償却限度額の範囲内の金額となります。したがって，償却限度額を超えて償却費を計上した場合，その超過額は損金不算入となります。

償却限度額の計算要素には，償却計算の基礎となる取得価額，廃棄時の処分見込価額である残存価額（平成19年３月31日以前に取得された減価償却資産に限る），使用可能期間である耐用年数の３つがあります。

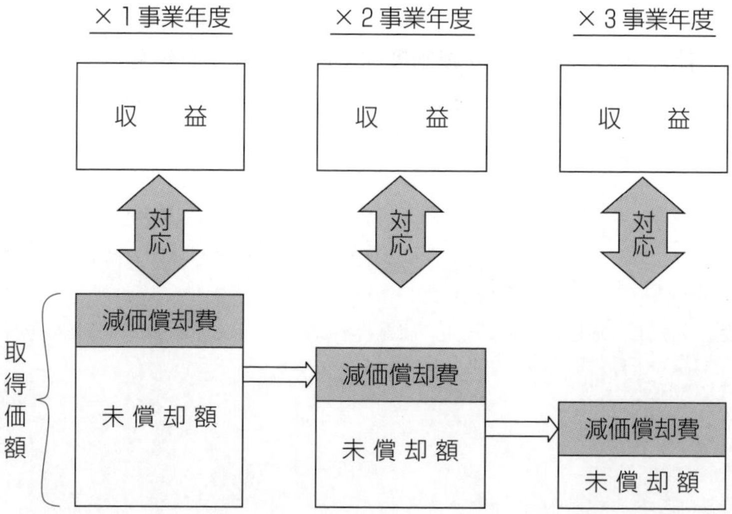

(2) 償却方法

法人税法では，償却方法として平成19年4月1日以後に取得された減価償却資産については定額法，定率法，生産高比例法，リース期間定額法，平成19年3月31日以前に取得された減価償却資産については旧定額法，旧定率法，旧生産高比例法，旧国外リース期間定額法，を定めています。法人は，原則として減価償却資産の取得時点および資産の区分に応じてこれら8つの償却方法の中からいずれかを選択することになります。

定額法は，毎年同じ金額を償却費として処理する償却方法です。計算が簡単なことが定額法の長所といえます。

定率法は，毎年一定の割合で償却額が減少していく償却方法です。初期に多くの償却費が発生するので，多くの会社で採用されている方法です。

生産高比例法は，鉱業用減価償却資産と鉱業権についてのみ認められた償却方法であり，リース期間定額法は，リース資産についてのみ認められた償却方法です。このように選択できる償却方法は，資産の種類によって異なります。

その主な内容は以下のとおりです。

① 平成28年4月1日以後に取得された減価償却資産

資産の区分	届出済	未届出
建物，建物附属設備，構築物（注1）	定額法のみ（届出不要）	
有形減価償却資産（注2）	定額法，定率法のどちらか	定率法
無形減価償却資産（注3）	定額法のみ（届出不要）	

（注1）　鉱業用減価償却資産を除きます。
（注2）　建物，建物附属設備，構築物，鉱業用減価償却資産，リース資産を除きます。
（注3）　鉱業権を除きます。

②　平成19年4月1日以後平成28年3月31日までに取得された減価償却資産

資産の区分	届出済	未届出
建物（注4）	定額法のみ（届出不要）	
有形減価償却資産（注5）	定額法，定率法のどちらか	定率法
無形減価償却資産（注6）	定額法のみ（届出不要）	

（注4）　鉱業用減価償却資産を除きます。
（注5）　建物，鉱業用減価償却資産，リース資産を除きます。
（注6）　鉱業権を除きます。

③　平成19年3月31日以前に取得された減価償却資産

資産の区分		届出済	未届出
建物（注7）	平成10年3月31日以前取得	旧定額法，旧定率法のどちらか	旧定率法
	平成10年4月1日以後取得	旧定額法のみ（届出不要）	
有形減価償却資産（注8）		旧定額法，旧定率法のどちらか	旧定率法
無形減価償却資産（注9）		旧定額法のみ（届出不要）	

（注7）　鉱業用減価償却資産を除きます。
（注8）　建物，鉱業用減価償却資産，国外リース資産を除きます。
（注9）　鉱業権を除きます。

(3)　償却限度額の計算

各事業年度の所得の金額の計算上，損金の額に算入される減価償却資産の償却額は，法人が償却費として損金経理をした金額のうち，選択した償却方法に基づき耐用年数に応じた償却率により計算した償却限度額以内の金額となります。

① 平成19年4月1日以後に取得された減価償却資産

平成19年4月1日以後に取得された減価償却資産の定額法，定率法による償却限度額は，次の算式により計算します。

償却方法	償却限度額の計算式
定額法	取得価額×耐用年数に応じた定額法の償却率
定率法	⑷（取得価額－既償却額）× 定率法の償却率≧償却保証額(注1) ：(取得価額－既償却額）× 定率法の償却率 ⑻（取得価額－既償却額）× 定率法の償却率＜償却保証額 ：改定取得価額(注2) × 耐用年数に応じた改訂償却率

(注1) 償却保証額とは，減価償却資産の取得価額に当該資産の耐用年数に応じて定められている保証率を乗じて計算した金額をいいます。

(注2) 改定取得価額とは，⑷から⑻へ切り替わる最初の事業年度における減価償却資産の取得価額から既償却額を控除した金額をいいます。

平成19年4月1日以後に取得された減価償却資産については，残存価額および償却可能限度額が廃止されました。このため有形減価償却資産については，原則として取得価額から1円を控除した金額まで減価償却することになります。

定率法の償却限度額の計算にあたっては，未償却額に償却率を乗じて算出された金額（以下，「定率法による償却限度額」という）と償却保証額との比較を行うことが必要となります。

定率法による償却限度額が償却保証額より高い場合⑷には，従来と同様に定率法による償却限度額が当該資産の償却限度額となり，定率法による償却限度額が償却保証額より低い場合⑻には，改定取得価額に耐用年数に応じた改定償却率を乗じて計算された金額が当該資産の償却限度額となります。後者の場合は，償却限度額が毎年定額となります。

なお，平成19年4月1日から平成24年3月31日以前に取得された減価償却資産の定率法償却率は定額法償却率の2.5倍（250％定率法）でしたが，平成24年４月１日以後に取得される減価償却資産の定率法償却率は定額法償却率の２倍（200％定率法）となり，取得当初の償却限度額は少なくなります。

＜設　例＞

取得価額1,000,000円，耐用年数６年，200％定率法のケース

４年目で定率法による償却限度額が償却保証額より低くなるため，４年目以降は定額法による償却限度額の計算を行います（定率法の償却率　0.333　改定償却率　0.334　保証率　0.09911）。

経過年数	取得価額－既償却額	定率法償却限度額	償却保証額	改定取得価額×改定償却率	採用される償却限度額
１年目	1,000,000	333,000	99,110		333,000
２年目	667,000	222,111	99,110		222,111
３年目	444,889	148,148	99,110		148,148
４年目	296,741	98,814	99,110	99,111	99,111
５年目	197,630	65,810	99,110	99,111	99,111
６年目	98,519	32,806	99,110	99,111	(注) 98,518

(注)　99,111＞98,519（期首帳簿価額）－１円（備忘価額）＝98,518　∴ 98,518

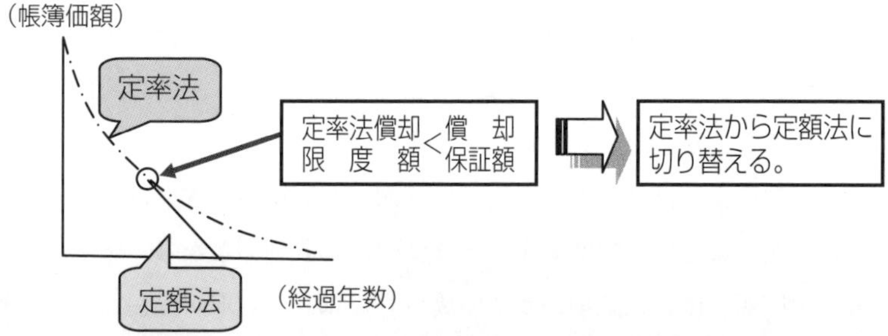

②　平成19年３月31日以前に取得された減価償却資産

平成19年３月31日以前に取得された減価償却資産についての旧定額法，

旧定率法による償却限度額は次の算式により計算します。

償却方法	償却限度額の計算式
旧定額法	（取得価額－残存価額）　×　旧定額法の償却率
旧定率法	（取得価額－既償却額）　×　旧定率法の償却率

(イ) 残存価額

残存価額はその減価償却資産の取得価額に「減価償却資産の耐用年数等に関する省令」（以下，「耐用年数省令」という）別表第十一に定められている残存割合を乗じて計算します。

残存割合は，減価償却資産の種類，細目ごとに定められています。

主な減価償却資産の残存割合は以下のとおりです。

種　　類	残存割合
有形減価償却資産（坑道を除く）	100分の10
無形減価償却資産，工業権，坑道	0（したがって残存価額なし）

(ロ) 償却可能限度額

平成19年３月31日以前に取得した減価償却資産については，既償却額と当該事業年度の償却額の合計額が，減価償却資産の区分ごとに定められている償却限度額に達するまで減価償却を行います。そして，当該合計額が償却限度額に達した事業年度において残存している未償却額（残存帳簿価額が１円を除く）については，当該事業年度の翌事業年度以後５年間で均等償却していくことになります。

種　　類	償却可能限度額
有形減価償却資産 （国外リース資産，坑道を除く）	取得価額×95%
無形減価償却資産，坑道	取得価額

生物 (器具および備品に該当するものを除く)	取得価額－残存価額
国外リース資産	取得価額－見積り残存価額

③　法人の事業年度が１年未満の場合

法人の事業年度が１年未満の場合における償却限度額の計算は以下のようになります。

(イ)　平成19年４月１日以後に取得された減価償却資産

償却方法	償却限度額の計算式
定額法	取得価額 × 耐用年数に応じた定額法の償却率 × 事業年度の月数／12
定率法	(A)（取得価額－既償却額）× 定率法の償却率 ≧ 償却保証額 ：（取得価額－既償却額）× 定率法の償却率 × 事業年度の月数／12 (B)（取得価額－既償却額）× 定率法の償却率 ＜ 償却保証額 ：改定取得価額 × 耐用年数に応じた改定償却率 × 事業年度の月数／12

(ロ)　平成19年３月31日以前に取得された減価償却資産

償却方法	償却限度額の計算式
旧定額法	（取得価額－残存価額）× 旧定額法の償却率 × 事業年度の月数／12
旧定率法	（取得価額－既償却額）× 改定耐用年数(注)に応じた旧定率法の償却率

(注)　改定耐用年数 ＝ 耐用年数 × $\frac{12}{\text{事業年度の月数}}$

④　事業年度の中途で事業の用に供した減価償却資産

事業年度の中途で事業の用に供した減価償却資産の償却限度額の計算は以下のとおりとなります。

$$\text{償却限度額} = \text{その期中取得資産が期首からあるものとした場合の償却限度額} \times \frac{\text{その資産を事業の用に供した日から期末までの月数（1か月未満の端数は切上げ）}}{\text{その事業年度の月数}}$$

⑤　耐 用 年 数

固定資産の耐用年数は，減価償却を行うにあたっての重要な計算要素です。耐用年数は，耐用年数省令に減価償却資産の種類，用途ごとに定められています。これに基づいて各減価償却資産の耐用年数を判定します。

減価償却資産の種類		耐用年数省令
有形減価償却資産	機械および装置以外のもの	別表第一
	機械および装置	別表第二
無形減価償却資産		別表第三
生　　物		別表第四

法人が資本的支出を行った場合，その資本的支出に係る部分については，本体と同じ耐用年数，すなわち現に適用している耐用年数を使用します。

さらに，特殊なケースのひとつに中古資産を取得した場合の耐用年数の取扱いがあります。中古資産の耐用年数は以下のように計算します。

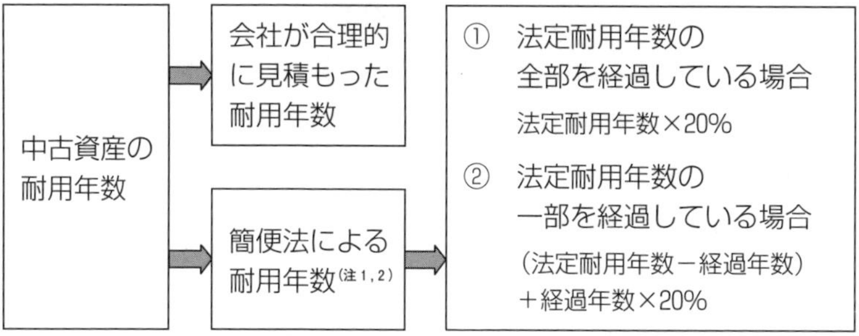

(注１) 簡便法は，見積りが困難な場合に使用することができます。
(注２) １年未満の端数は切り捨てます。また，計算された耐用年数が２年未満のときは２年とします。

(4) 償却の特例

減価償却資産が通常の利用状況に比べてより多く稼動しているなど一定の場合には，その消耗に見合う償却費の計上ができるなどの特例が設けられています。

① 耐用年数の短縮

耐用年数省令で定められている耐用年数は法定耐用年数といわれ，標準的な資産を対象とし，通常の稼動状況等を基礎として定められています。

しかし，実際にはさまざまな理由により実際の使用可能期間が法定耐用年数より短くなることがあります。

そこで個々の減価償却資産が特定の短縮事由に該当し，その実際の使用可能期間が法定耐用年数より10％以上短くなる場合には，納税地の所轄国税局長の承認を受けることにより，未経過使用可能期間をもって適用すべき耐用年数を短縮することができます。

特定の短縮事由とは以下のとおりです。

(イ) 材質または製作方法が同種の他の減価償却資産と著しく異なること
(ロ) その資産のある地盤が隆起または沈下したこと
(ハ) 陳腐化したこと
(ニ) 使用する場所の状況により著しく腐食したこと
(ホ) 通常の修理または手入れをしなかったことにより著しく損耗したこと
(ヘ) 上記以外の財務省令に定める事由に該当すること

② 増加償却

法人の所有する機械および装置の使用時間が平均的な使用時間を超える場合には，増加償却を行うことができます。

すなわち，法人は，通常の償却限度額と増加償却割合を基礎に改定償却限度額を算定し，通常の償却限度額よりも多い改定償却限度額まで償却することができます。

増加償却を行う場合，納税地の所轄税務署長に書類を提出し届出を行う必要があります。

改定償却限度額は以下のように計算します。

改定償却限度額＝通常の償却限度額 ×（1＋増加償却割合）

増加償却割合は以下のように計算します。

$$増加償却割合 = \frac{35}{1,000} \times 1日あたりの超過使用時間数$$

4. 特 別 償 却

特別償却とは，租税特別措置法の規定により，法人税法の規定による普通償却限度額を超えて減価償却を行うことができる制度です。

特別償却は，経済対策，エネルギー対策，中小企業対策などの政策的要請から定められた税務上の特例です。

対象資産を取得した企業に対して減価償却費を通常よりも多く損金に算入できるという税務上の優遇制度を設けることにより，企業の設備投資，中小企業の機械化，環境にやさしい設備への投資等を促し，これにより政策的な目的を実現するための制度です。

特別償却が認められる場合の償却限度額 ＝ 普通償却限度額 ＋ 特別償却限度額

特別償却には，取得価額の一定割合を償却する狭義の特別償却と，普通償却額を割増しする割増償却とがあります。

(1) 狭義の特別償却

特定の減価償却資産を取得し，事業の用に供した事業年度においてのみ次の金額を限度に特別償却できます（初年度一時償却ともいう）。

特別償却限度額 ＝ 取得価額 × 一定割合

(2) 割増償却

特定の減価償却資産を取得し，事業の用に供した事業年度以後一定の期間内において，次の金額を限度に割増償却できます。

割増償却限度額 ＝ 普通償却限度額 × 一定割合

具体例と償却割合

特別償却	・中小企業経営強化税制の適用を受ける特定経営力向上設備等の特別償却（普通償却とあわせて100%）(注1) ・中小企業投資促進税制の適用を受ける特定機械装置等の特別償却（30%）(注2) ・５Ｇ 導入促進税制の適用を受ける特定高度情報通信用認定等設備の特別償却（30%） ・地方拠点強化税制の適用を受ける建物等の特別償却（移転型は25%，拡充型は15%）(注3) ・デジタルトランスフォーメーション（DX）投資促進税制の適用を受けるソフトウェア等の特別償却（30%）(注4) ・カーボンニュートラルに向けた投資促進税制の適用を受ける設備等の特別償却（50%）(注5)
割増償却	・倉庫用建物等の割増償却（８%）(注6)

(注１) 中小企業者等が平成29年４月１日から令和７年３月31日までの間に中小企業等経営強化法に規定する設備のうち，経営の向上に著しく資する一定のもので，認定経営力向上計画に記載されたもの（特定経営力向上設備等）を取得等し，事業の用に供した場合には即時償却（償却割合が普通償却とあわせて100%）が認められます。

(注２) 中小企業者等が，平成10年６月１日から令和７年３月31日までの間に機械および装置などを取得等し，事業の用に供した場合には特別償却が認められます。

(注３) 青色申告書を提出する法人が，東京23区にある本社機能を地方に移転したり，地方の本社機能を拡充する場合に，地域再生法の改正法の施行日（平成27年８月10日）から令和７年３月31日までの間に地方活力向上地域等特定業務施設整備計画の認定を受け，その認定の日から３年以内に当該計画に記載された

建物等で一定の規模以上のものを取得等し，事業の用に供したときは，特別償却が認められます。

(注4)　青色申告書を提出する法人が，産業競争力強化法の改正により創設される「事業適応計画」に従って導入されたソフトウェア等に係る投資について，産業競争力強化法の改正法の施行の日から令和7年3月31日までの間に情報技術事業適応設備の取得等し，事業の用に供した場合には特別償却が認められます。

(注5)　産業競争力強化法に規定する「エネルギー利用環境負荷低減事業適応計画」の認定を受けた青色申告書を提出する法人が，産業競争力強化法の改正法の施行の日から令和8年3月31日までの間に同計画に従って導入される一定の設備の取得等し，事業の用に供した場合には特別償却が認められます。

(注6)　青色申告書を提出する法人で流通業務の総合化および効率化の促進に関する法律に規定する「特定総合効率化計画」の認定を受けたものが，昭和49年4月1日から令和8年3月31日までの間に，物資の流通の拠点区域として一定の区域内において，倉庫用の建物およびその附属設備ならびに構築物のうち一定のものを取得等し，倉庫業の用に供したときは，その事業の用に供した日以後5年以内の日を含む各事業年度において，一定の割増償却が認められます。

5．少額または使用可能期間が1年未満の減価償却資産

以下のいずれかに該当する場合の減価償却資産（国外リース資産および平成20年4月1日以後に契約が締結される所有権移転外リース取引に係るリース資産を除く）を取得し事業の用に供した場合，その事業の用に供した日の属する事業年度において取得価額相当額を損金経理したときは，その経理した金額を課税所得の計算上損金の額に算入することができます。

①　使用可能期間が1年未満であるもの

②　取得価額が10万円未満であるもの

使用可能期間が1年未満の減価償却資産とは，法人の属する業種において一般的に消耗性のものとして認識されている減価償却資産で，その法人の平均的な使用状況，補充状況等からみてその使用可能期間が1年未満のものをいいます。

また，取得価額が10万円未満であるかどうかは，通常1単位として取引されるその単位ごとに判定します。したがって，例えば機械であれば1台ごと，応接セット（いす，ソファー，テーブル等）であれば1組ごとに判定します。

ただし，主要な事業として行われる場合を除き，貸付けの用に供したものは

対象資産から除外されます。

6．一括償却資産

法人が各事業年度において，取得価額が20万円未満の減価償却資産（国外リース資産および平成20年4月1日以後に契約が締結される所有権移転外リース取引に係るリース資産ならびに上記5．の適用を受けるものを除く）を事業の用に供した場合には，その資産の全部または特定の一部を一括したもの（一括償却資産）の取得価額の合計額を36で除し，これに各事業年度の月数を乗じて計算した金額を限度として損金経理した金額を課税所得の計算上損金の額に算入することができます。

すなわち，個別資産の耐用年数や金額に関係なく，取得価額が20万円未満の減価償却資産の全部または特定の一部をひとまとめにして一括して計算しようというものです。

ただし，主要な事業として行われる場合を除き，貸付けの用に供したものは対象資産から除外されます。

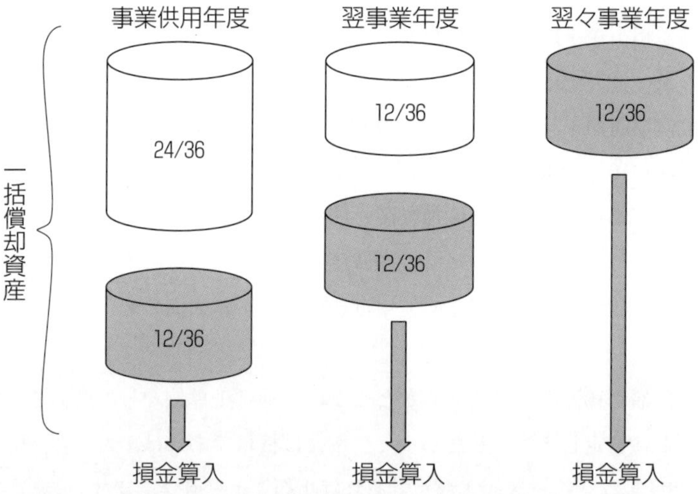

また，少額の減価償却資産との関係を示すと次のようになります。

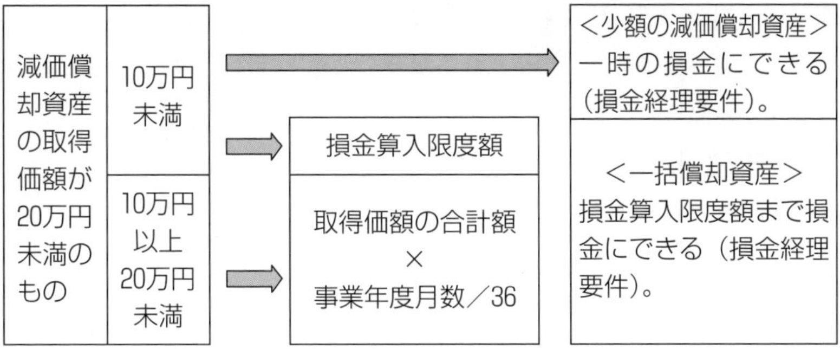

さらに，償却方法の選択肢を取得価額別に比較すると次のようになります。

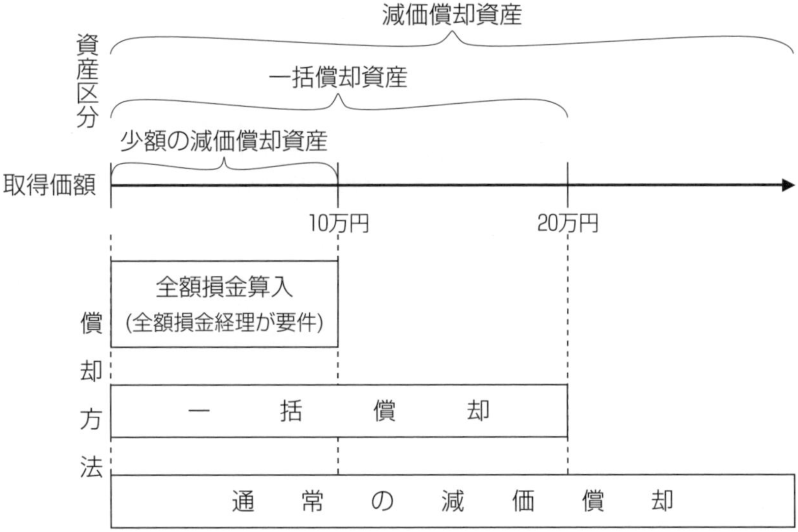

7．中小企業者等の少額減価償却資産の特例

(1)　特例の概要

一定の対象法人が，平成18年4月1日から令和8年3月31日までの間に取得価額が10万円以上30万円未満の減価償却資産（以下，「少額減価償却資産」という）を取得等し，かつ，事業の用に供した場合において，その資産の取得価額相当額をその事業年度において損金経理したときは，その損金経理した金額をその

事業年度の損金の額に算入することができます。

ただし，主要な事業として行われる場合を除き，貸付けの用に供したものは対象資産から除外されます。

(2) 対 象 法 人

中小企業者に該当する法人または農業協同組合等（以下，「中小企業者等」という）で，青色申告書を提出するものが対象となります。

ただし，常時使用する従業員数が500人を超える中小企業者等はこの規定の適用対象外となります。

中小企業者等の範囲

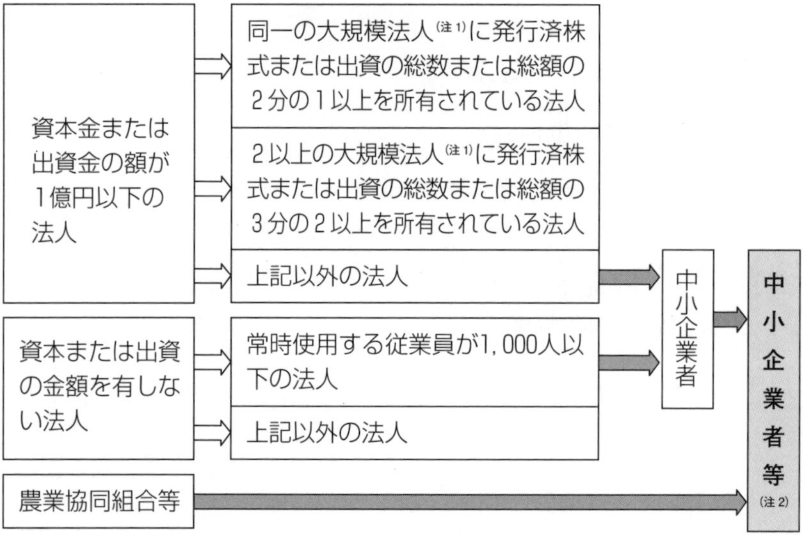

（注1） 資本金または出資金の額が1億円超の法人等をいいます。
（注2） 本特例は中小企業者等のうち，以下の要件を満たすものに限り適用されます。
・常時使用する従業員数が500人以下
・通算法人に該当しない
・前3事業年度の平均所得金額が15億円以下

(3) 限 度 額

その事業年度における少額減価償却資産の取得価額の合計額が300万円を超える場合には，その取得価額の合計額のうち300万円に達するまでの少額減価償却資産の取得価額の合計額が限度となります。

8. 資本的支出と修繕費

(1) 資本的支出と修繕費の違い

法人が機械等の固定資産に対して修理，改良等の名目で支出を行うことがあります。この支出は，固定資産の取得価額に算入される資本的支出と，支出した事業年度で一時に損金となる修繕費とに分かれます。

仕訳で表すと次のようになります。

(資本的支出)

（借方）固定資産　×××　／　（貸方）現金預金　×××

(修　繕　費)

（借方）修 繕 費　×××　／　（貸方）現金預金　×××

資本的支出は，固定資産に対する積極的な支出であり，修繕費は固定資産に対する消極的な支出であるといえます。すなわち，資本的支出は固定資産の使用可能期間の延長または価値の増加をもたらす支出であり，修繕費は固定資産の通常の維持管理および原状回復のための支出といえます。

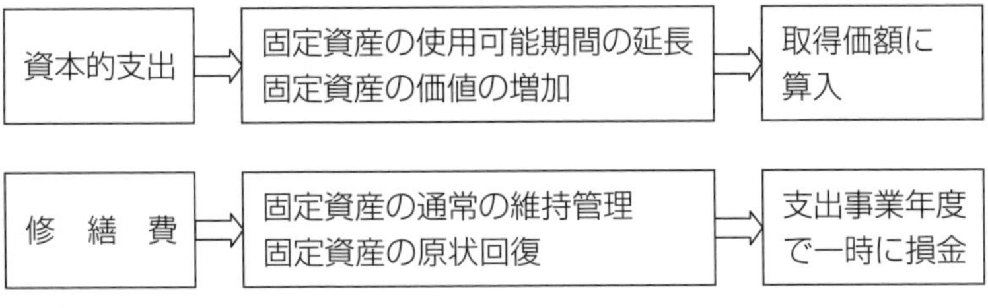

(2) 資本的支出の計算

資本的支出の金額は，資産の使用可能期間を延長させる部分と資産の価値を増加させる部分とに分けて計算します。支出の効果が使用可能期間の延長と資産価値の増加の両方に及ぶ場合には，両方の金額を算出し，いずれか多い金額を資本的支出の金額とします。

資本的支出の金額は次のように計算します。

①　使用可能期間を延長させる部分に対応する金額

$$\text{資本的支出の金額} = \text{支出金額} \times \frac{\text{支出直後の使用可能年数} - \text{通常の管理等をした場合の支出直前の残存使用可能年数}}{\text{支出直後の使用可能年数}}$$

②　価値を増加させる部分に対応する金額

$$\text{資本的支出の金額} = \text{支出直後の時価} - \text{通常の管理等をした場合の支出直前の時価}$$

(3) 資本的支出と修繕費の形式基準

資本的支出と修繕費の区分は実務上非常に難しいため一定の形式基準により区分することも認められています。

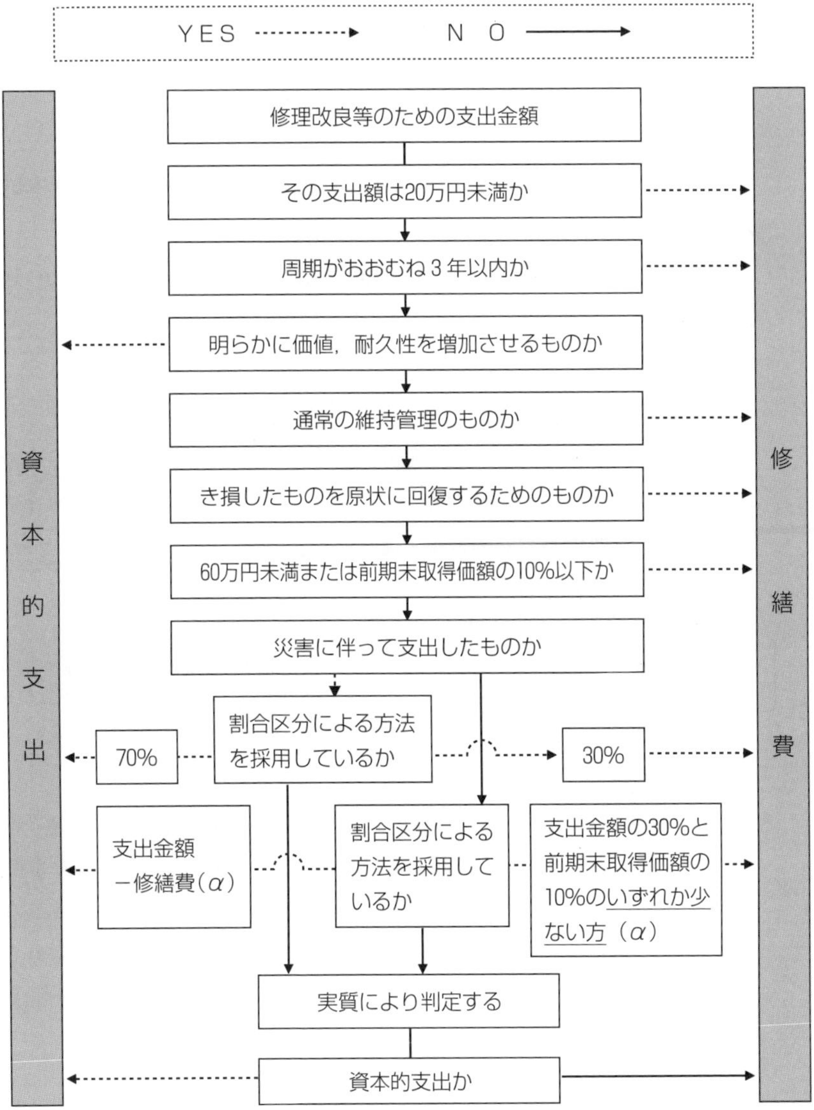

(4) 資本的支出の取得価額の特例

資本的支出の対象となった減価償却資産の取得時期により，当該資本的支出の取得価額の取扱いが異なります。

ここでは，

① 平成19年4月1日以後に取得された減価償却資産に係る資本的支出

② 平成19年3月31日以前に取得された減価償却資産に係る資本的支出

の2つに分けて，それぞれの取扱いを説明します。

① 平成19年4月1日以後に取得された減価償却資産に係る資本的支出

平成19年4月1日以後に取得された減価償却資産に係る資本的支出の取扱いは以下のとおりとなります。

(イ) 原　　則

資本的支出の金額を本体と切り離して新規取得資産とします。すなわち，従来から保有する減価償却資産と種類および耐用年数を同じくする減価償却資産を新たに取得したものとして，資本的支出の金額を別途資産計上し，従来から保有する減価償却資産と同様に減価償却を行います。

＜支出事業年度＞

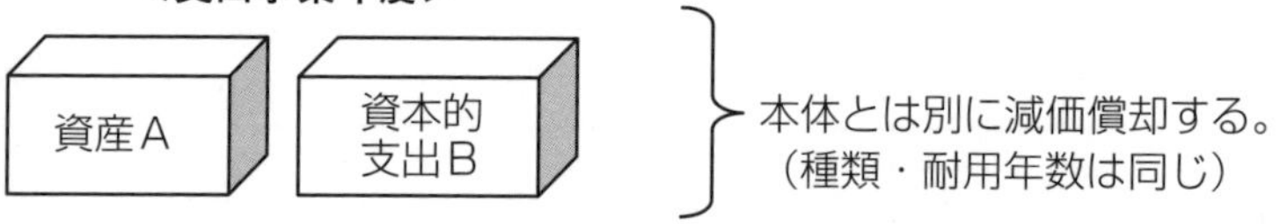

(ロ) 特　例 ①

本体（旧減価償却資産（注））と新規取得とされる資本的支出（追加償却資産）について定率法を採用している場合には，資本的支出を行った事業年度の翌事業年度開始の時において，その時における旧減価償却資産の帳簿価額と追加償却資産の帳簿価額との合計額を取得価額とする一の減価償却資産を新規取得したものとして減価償却を行うことができます。

(注) 平成24年3月31日以前に取得した減価償却資産を除きます。

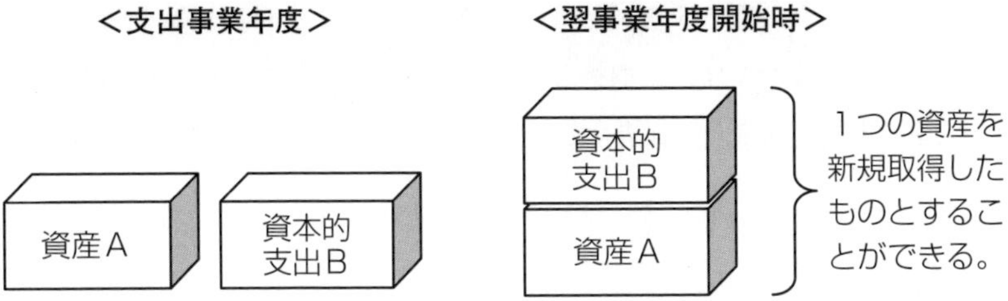

(ハ)　特　例　②

新規取得とされる資本的支出（追加償却資産）について定率法を採用し，かつ，特例①の適用を受けない場合には，資本的支出を行った事業年度の翌事業年度開始の時において，種類および耐用年数を同じくする追加償却資産の当該開始の時における帳簿価額の合計額を取得価額とする一の減価償却資産を新規取得したものとして減価償却を行うことができます。

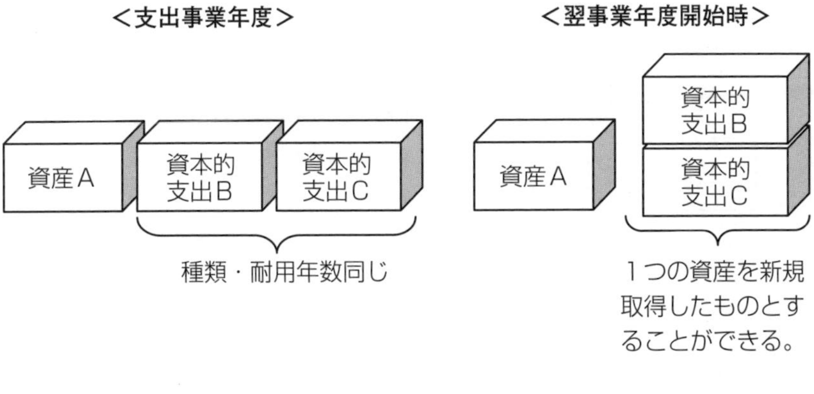

②　平成19年３月31日以前に取得された減価償却資産に係る資本的支出

平成19年３月31日以前に取得された減価償却資産に係る資本的支出の取扱いは以下のとおりとなります。

(イ)　原　　　則

資本的支出の金額を本体と切り離して新規取得資産とします。すなわち，従来から保有する減価償却資産と種類および耐用年数を同じくする減価償却資産を新たに取得したものとして，資本的支出の金額を別途資産計上し，従来から保有する減価償却資産と同様に減価償却を行います。

＜支出事業年度＞

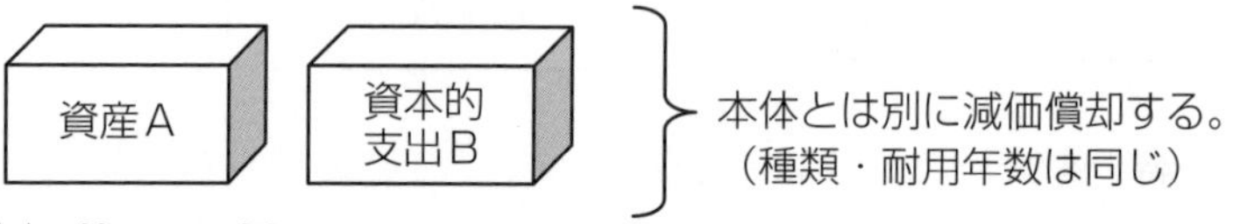

(ロ) 特　　例

資本的支出の金額を本体の取得価額に加算することができます。すなわち，従来から保有する減価償却資産の償却方法として，旧定額法，旧定率法，旧生産高比例法，旧国外リース期間定額法のいずれかを採用している場合には，資本的支出の金額を従来から保有する減価償却資産の取得価額に含めて減価償却を行うことができます。

＜支出事業年度＞

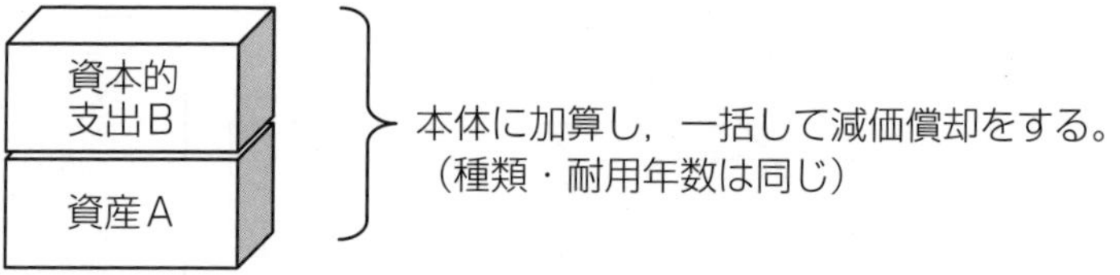

第4節　リース取引

1．リース取引の概要

リース取引とは，資産の賃貸借取引のうち一定の要件を満たす取引をいいます。資産の賃貸借取引には，法形式上は資産の賃貸借取引であっても経済的実質は売買取引または金融取引と考えられるものがあり，法人税法上はこのような経済的実質に即して処理することが求められます。

「リース取引に関する会計基準」および「リース取引に関する会計基準の適用指針」が平成19年3月30日に改正され，所有権移転外ファイナンスリース取引に係る会計処理が賃貸借処理から売買処理に変更されました。

この会計基準の改正に併せる形で法人税法上も平成19年度税制改正により所有権移転外リース取引について売買処理とする改正等が行われました。この改正により資産の賃貸借取引に係る法人税法上の処理は，当該資産の賃貸借取引が法人税法上のリース取引に該当する場合は売買処理することとなり（ただし，金銭貸付として取り扱われるリース取引を除く），法人税法上のリース取引に該当しない場合は賃貸借処理することとなりました。

2．リース取引に該当するかの判定基準

資産の賃貸借で以下の要件を満たすものをリース取引と判定します。

① 賃貸借に係る契約が賃貸借期間の中途で解除できないもの，またはこれに準ずるもの

② 賃借人が賃貸借資産からもたらされる経済的な利益を実質的に享受できるもの

③ 賃借人が賃貸借資産の使用に伴う費用を実質的に負担するもの（注）

（注）「賃貸借資産の使用に伴う費用を実質的に負担するもの」とは

契約の解除をすることができないとされている賃貸借期間中に支払われる賃借料の合計額が，その資産の取得のために通常要する価額のおおむね90％を超える場合には，「賃貸借資産の使用に伴う費用を実質的に負担するもの」に該当します。

解約不能期間の賃借料の合計額 ＞ 資産取得のために通常要する価額 × 90%

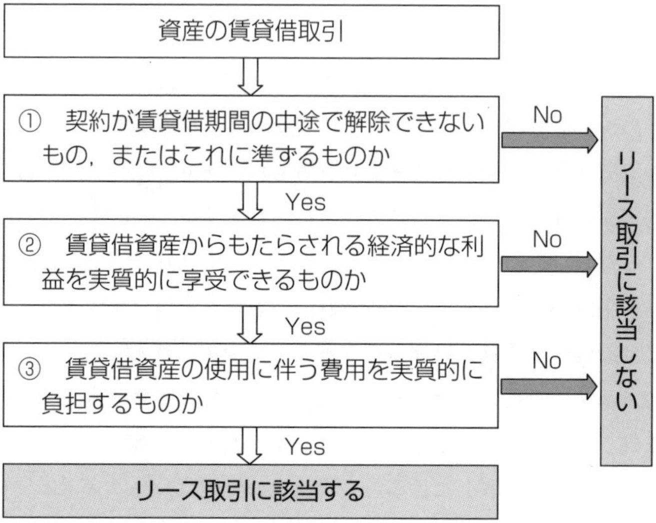

3．リース取引の取扱い

⑴ 所有権移転リース取引と所有権移転外リース取引の判定

リース取引について，賃貸人および賃借人はリース資産の賃貸人から賃借人への引渡しのときに，そのリース資産の売買があったものとして処理します。

したがって，リース資産の減価償却については賃借人が行うことになりますが，当該リース取引が所有権移転リース取引となるのか所有権移転外リース取引となるのかによって賃借人における減価償却方法が異なることから，リース取引が所有権移転リース取引となるのか所有権移転外リース取引となるのかの判定を行う必要があります。

所有権移転リース取引とは，以下のいずれかに該当するものをいい，所有権移転外リース取引とは，当該所有権移転リース取引以外のものをいいます。

① 所有権移転条項付リース

② 割安購入選択権付リース

③ 専属使用・特別仕様のリース

④ リース期間が著しく短いリース

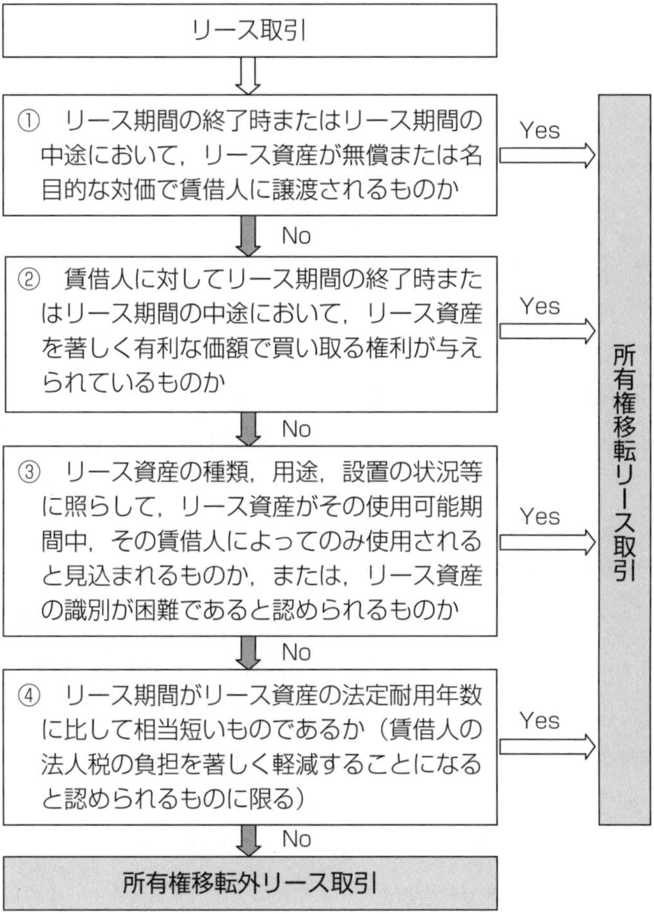

(2) 賃借人の処理

① 所有権移転リース取引

賃借人はリース資産の引渡時にリース資産およびリース債務を計上します。

リース料の支払時にはリース債務を減少させるとともに，支払利息を利息法（注1）または定額法により計上します。

また，リース資産については自己所有の減価償却資産と同様の減価償却方法により減価償却を行います。なお，会計上，少額リース・短期リースについて賃貸借処理を適用した場合に税務上の問題が生じないよう，リース料（賃借料）として費用計上した金額は減価償却費として損金経理したものとして取り扱われます。

② 所有権移転外リース取引

賃借人はリース資産の引渡時にリース資産およびリース債務を計上します。

リース料の支払時にはリース債務を減少させるとともに，支払利息を利息法（注1）または定額法により計上します。

また，リース資産についてはリース期間定額法（注2）により減価償却を行います。なお，会計上，少額リース・短期リースについて賃貸借処理を適用した場合や中小法人が「中小企業の会計に関する指針」に基づき所有権移転外ファイナンスリース取引について賃貸借処理を適用した場合に税務上の問題が生じないよう，リース料（賃借料）として費用計上した金額は減価償却費として損金経理したものとして取り扱われます。

(注1) 各期の支払利息相当額をリース債務の未返済元本残高に一定の利率を乗じて計算する方法をいいます。

(注2) リース資産の取得価額をリース期間の月数で除して計算した金額に，その事業年度におけるリース期間の月数を乗じて計算した金額を各事業年度の償却限度額として償却する方法をいいます。

(3) 賃貸人の処理

① 所有権移転リース取引・所有権移転外リース取引

平成19年度税制改正によりリース取引によるリース資産の引渡し（以下，「リース譲渡」という）が，長期割賦販売等の範囲に含められました。したがって，賃貸人はリース取引の処理について延払基準を適用することができます。これにより賃貸人はリース資産の譲渡に係る譲渡益を一時に計上するのではなく，リース期間にわたって収益および原価の額を繰り延べて配分することが可能となります。

賃貸人にとって賃借人から受け取るリース料総額と賃借人に引き渡したリース資産の原価との差額が利益の総額になります。賃貸人の期間損益について，会計上は利息法または定額法により計算された金額を各期の利益として認識します。そして，法人税法上は当該利息法または定額法による処理を延払基準の方法により経理したものとして取り扱います。したがって，選択した会計処理の方法が課税所得に直接影響を与えることになります。

② 特例計算

利息法により会計処理した場合，賃貸人においてはリース期間の前半に多額の利益が認識されます。そして延払基準の適用により当該利益額がそのまま課税所得に反映されることになります。この点，賃貸人にとっては従来の処理に比べて不利な取扱いとなる場合があります（例えば，所有権移転外リース取引について，賃貸借処理から利息法による売買処理に変更するような場合が考えられる）。このような賃貸人における不利な取扱いを緩和する趣旨から平成19年度税制改正により特例計算の制度が創設されました。

特例計算とは，リース料総額から原価を控除した金額（以下，「リース利益額」という）のうち，実質的に受取利息と認められる部分の金額（リース利益額の20％相当額）を利息法により収益計上し，それ以外の部分の金額（リース利益額の80％相当額）をリース期間にわたって均等額により収益計上する方法です。

この特例計算により，利息法による配分に比べて，課税所得に対する影響を平準化することができます。

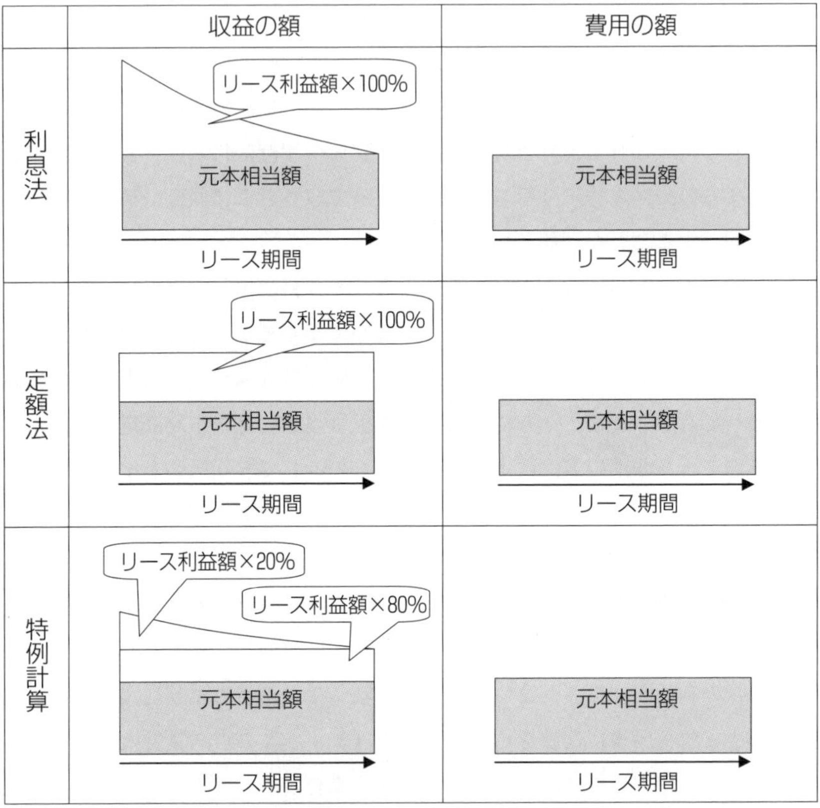

4．金銭貸付として取り扱われるリース取引

資産の売買が次のいずれの要件も満たす場合には資産の売買はなかったものとし，譲受人（賃貸人）から譲渡人（賃借人）への金銭貸付として処理します。

資産の売買

⇩

①　譲受人（賃貸人）から譲渡人（賃借人）に対する賃貸（リース取引）を条件に資産の売買を行った場合か。いわゆるセールアンドリースバック取引か（注）

⇩ Yes

②　資産の種類，売買および賃貸に至るまでの事情その他の状況に照らし，これら一連の取引が実質的に金銭の貸借と認められるものか

⇩ Yes

金銭貸付として処理

（注）　所有する物件を貸手に売却し，貸手から当該物件のリースを受ける取引を「セールアンドリースバック取引」といいます。

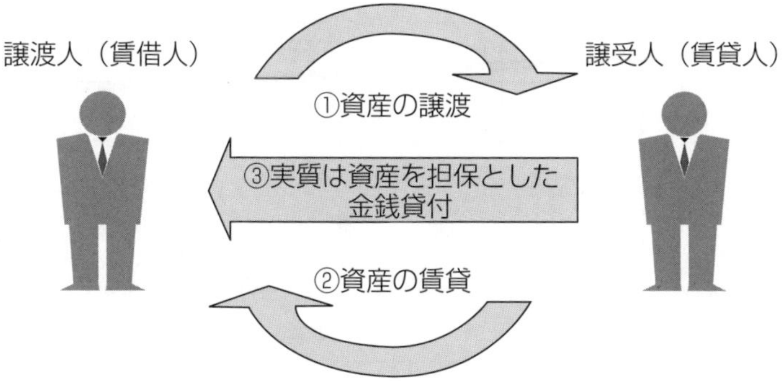

⑴　譲渡人（賃借人）の処理

資産を売却したことで譲受人から受け取った売却代金は『借入金』として処理します。譲渡人（賃借人）がリース期間中に支払う支払リース料合計額のうち，借入金に相当する金額は借入金の元本返済額になります。それ以外の額は支払利息と同様に処理されます。

リース料合計額	借入金相当額	＝	借入金の元本返済額
	それ以外の額	＝	支払利息

仕　　訳

借　方		貸　方	
借入金	×××	現　金	×××
支払利息	×××		

(2) 譲受人（賃貸人）の処理

資産を取得したことで譲渡人に支払った購入代金は『貸付金』として処理します。譲受人（賃貸人）がリース期間中に受け取る受取リース料合計額のうち，貸付金に相当する金額は貸付金の回収額になります。それ以外の額は受取利息と同様に処理されます。

リース料合計額	貸付金相当額	＝	貸付金の元本回収額
	それ以外の額	＝	受取利息

仕　　訳

借　方		貸　方	
現　金	×××	貸付金	×××
		受取利息	×××

第5節　繰延資産

1．繰延資産の範囲

法人税法上の繰延資産は，会社法上の繰延資産と法人税法固有の繰延資産から構成されています。

(1)　会社法上の繰延資産

会社計算規則では繰延資産について具体的項目が列挙されておらず，繰延資産として計上することが適当であるか否かは，一般に公正妥当と認められる会計慣行によって判断されることになります。

この点，平成18年8月11日に企業会計基準委員会により報告された「繰延資産の会計処理に関する当面の取扱い」において以下の項目を繰延資産として取り扱うこととされたことにより，会社法上も当該取扱いに従うことになります。

区　分	内　　容
創立費	創立時の設立登記費用，発起人の報酬等でその法人が負担しなければならない費用
開業費	設立後，実際に事業を開始するまでの間に開業準備のために特別に支出する費用
開発費	新たな技術もしくは新たな経営組織の採用，資源の開発または市場の開拓のために特別に支出する費用
株式交付費	株券等の印刷費，資本または出資の増加の登記についての登録免許税その他自己の株式（出資を含む）の交付のために支出する費用
社債等発行費	社債券等の印刷費，社債の登記についての登録免許税その他債券（新株予約権を含む）の発行のために支出する費用

(2) 法人税法固有の繰延資産

法人税法では，会社法上の繰延資産のほかに，支出した費用のうち支出の効果がその支出の日以後1年以上に及ぶ費用を繰延資産としています。ただし，資産の取得に要した費用および前払費用は除かれます。法人税法固有の繰延資産として規定されているものには以下のものがあります。

区　分	具体例
公共的・共同的施設の設置または改良のための費用	商店街等の会館，駐車場，共同展示場を設置または改良するための費用等
資産を賃借しまたは使用するための費用	建物を賃借するための権利金，電子計算機を賃借するための費用
役務の提供を受けるための費用	ノーハウの設定契約の一時金または頭金の費用等
広告宣伝用資産の贈与のための費用	広告宣伝を目的とした広告宣伝用の看板，自動車等を贈与したことにより生ずる費用
その他自己が便益を受けるための費用	同業者団体に加入するための加入金，スキー場におけるリフト等のゲレンデの整備費用等

2．繰延資産の償却

(1) 償却費の損金算入

損金経理した繰延資産の償却費は，各事業年度の課税所得の計算上損金の額に算入されます。損金算入額は，法人がその事業年度において償却費として損金経理した金額のうち，償却限度額(注)に達するまでの金額となります。

(注) 償却限度額とは，繰延資産にかかる支出の効果の及ぶ期間（償却期間）を基礎として計算された金額をいいます。

(2) 償却方法および償却限度額

繰延資産の償却方法および償却限度額は，繰延資産の区分に応じて異なります。

	区 分	償却方法	償却限度額
会社法上の繰延資産	創 立 費	随時償却	繰延資産の額 － 過年度の償却費の合計額 ⇩ 償却金額，償却年数に制限はありません（ただし，繰延資産の帳簿価額を限度とする）。損金経理した金額が損金に算入されます。
	開 業 費		
	開 発 費		
	株式交付費		
	社債等発行費		
法人税法固有の繰延資産	公共的施設の設置または改良のための費用	償却限度額の範囲内で償却	繰延資産の額 × $\frac{\text{事業年度の月数}}{\text{償却期間の月数}}$(注) ⇩ 償却限度額の範囲内の金額が損金に算入されます。 （注）償却期間は(3)を参照
	資産を賃借しまたは使用するための費用		
	役務の提供を受けるための費用		
	広告宣伝用資産の贈与のための費用		
	その他自己が便益を受けるための費用		

(3) 償 却 期 間

償却期間とは，繰延資産に係る支出の効果の及ぶ期間をいいます。固定資産を利用するために支出した繰延資産については固定資産の耐用年数，一定の契約をするにあたり支出した繰延資産についてはその契約期間をそれぞれ基礎として適正に見積もることになります。また，償却期間は償却限度額の計算の基礎となります。

償却期間の算定

区　分	償却期間
固定資産を利用するために支出したもの	当該固定資産の耐用年数を基礎として算定した期間
一定の契約をするにあたり支出したもの	当該契約期間を基礎として算定した期間

償却期間が明らかなものおよび通達で具体的に規定されているもの

種類		細目		償却期間
公共的・共同的施設の設置または改良のための費用	公共的施設の設置または改良のために支出する費用	(1)	その施設または工作物がその負担した者にもっぱら使用されるものである場合	その施設または工作物の耐用年数の10分の7に相当する年数
		(2)	(1)以外の施設または工作物の設置または改良の場合	その施設または工作物の耐用年数の10分の4に相当する年数
	共同的施設の設置または改良のために支出する費用	(1)	その施設がその負担者または構成員の共同の用に供されるものである場合または協会等の本来の用に供されるものである場合	施設の建設または改良に充てられる部分の負担金については，その施設の耐用数の10分の7に相当する年数
				土地の取得に充てられる部分の負担金については，45年
		(2)	商店街等における共同のアーケード，日よけ等負担者の共同の用に供されるとともに併せて一般公衆の用にも供されるものである場合	5年（その施設について定められている耐用年数が5年未満である場合には，その耐用年数）
資産を賃借しまたは使用するための費用	建物を賃借するために支出する権利金等	(1)	建物の新築に際しその所有者に対して支払った権利金等で当該権利金等の額が当該建物の賃借部分の建設費の大部分に相当し，かつ，実際上その建物の存続期間中賃借できる状況にあると認められるものである場合	その建物の耐用年数の10分の7に相当する年数

資産を賃借しまたは使用するための費用	建物を賃借するために支出する権利金等	(2)	建物の賃借に際して支払った(1)以外の権利金等で，契約，慣習等によってその明渡しに際して借家権として転売できることになっているものである場合	その建物の賃借後の見積残存耐用年数の10分の7に相当する年数
		(3)	(1)および(2)以外の権利金等の場合	5年（契約による賃借期間が5年未満である場合において，契約の更新に際して再び権利金等の支払いを要することが明らかであるときは，その賃借期間）
	電子計算機その他の機器の賃借に伴って支出する費用			その機器の耐用年数の10分の7に相当する年数（その年数が契約による賃借期間を超えるときは，その賃借期間）
役務の提供を受けるための費用	ノーハウの頭金等			5年（設定契約の有効期間が5年未満である場合において，契約の更新に際して再び一時金または頭金の支払いを要することが明らかであるときは，その有効期間の年数）
広告宣伝用資産の贈与費用	広告宣伝の用に供する資産を贈与したことにより生ずる費用			その資産の耐用年数の10分の7に相当する年数（その年数が5年を超えるときは5年）
その他	スキー場のゲレンデ整備費用			12年
	出版権の設定の対価			設定契約に定める存続期間（存続期間の定めがない場合には，3年）
	同業者団体等の加入金			5年
	職業運動選手等の契約金等			契約期間（契約期間の定めがない場合には，3年）

『第 4 章』

費用・損失その他の税務

第1節 給　与

法人が支給する給与は，その受け取る側の立場により「役員給与」と「使用人給与」に大別され，取扱いも両者で異なります。また，この「給与」は，報酬・給与・賞与・退職金を含んだ幅広い概念となっています。

「使用人給与」は，原則としてその支給額の全額が損金の額に算入されます。一方,「役員給与」のうち，報酬に該当するものについては，定期的に同額で支給する場合，事前の定めにより支給する場合，法人の利益と連動して支給する場合等，恣意性の排除や適正性・透明性が担保されていることを条件に損金の額に算入されます。

また「役員給与」のうち退職金についても従業員に対するものとは異なり，不相当に高額な部分の金額については，損金の額に算入されないという制限も設けられています。

このように「役員給与」については，役員に対する恣意的な支給で，不当に所得を圧縮するといった租税回避を防止するための規定が設けられています。

1．役員の範囲

通常，役員というと取締役，監査役といった会社法上の役員を指しますが，法人税法上は，このような形式的な役員としての肩書きがなくても，実質的に経営に従事している者（法人税法上,「みなし役員」という）も役員の範囲に含めることとしています。

税務上の役員	会社法上の役員	取締役，監査役，理事，監事，清算人，会計参与等	
	法人税法上のみなし役員	法人の経営従事者	法人の使用人以外の者 （例）顧問，相談役等
			同族会社の使用人のうち，一定の株主

また，法人税法上，役員であっても使用人としての肩書きがあり，使用人としての仕事を行っているもの（(例) 取締役営業部長，取締役経理部長）を使用人兼務役員といいます。使用人兼務役員に対して支給する給与のうちその使用人としての職務の対価として支給されるものについては，一部の取扱いを除いて，使用人給与と同様に取り扱われます。

税務上の役員	部長，課長，その他法人の使用人としての肩書きがあり，かつ，常に使用人としての仕事をしているもの	使用人兼務役員
	社長・理事長・副社長・代表取締役・専務取締役・常務取締役・代表執行役等	使用人兼務役員とならない
	合名会社，合資会社，合同会社の業務執行役員	
	監査役，監事，会計参与，指名委員会等設置会社の取締役および監査等委員である取締役	
	同族会社の役員のうち一定の大株主	

2．法人が支給する給与の取扱い

(1)　役員給与の概要

①　役員給与の取扱い

法人がその役員に支給する給与（債務免除による利益，その他の経済的利益を受ける場合を含み，退職給与で業績連動給与に該当しないもの，使用人兼務役員の使用人分給与，仮装隠ぺいによる給与を除く）のうち，(イ)定期同額給与，(ロ)事前確定届出給与，(ハ)業績連動給与のうち一定の要件を満たすもののいずれかに該当する場合には，その支給した給与の額が不相当に高額でなければ損金の額に算入され，いずれにも該当しない場合には，損金の額に算入されません。

業績連動給与に該当しない退職給与については，その支給した給与の額が不相当に高額でなければ損金の額に算入されます。

なお，法人が仮装隠ぺいなどをして，その役員に支給した給与の額については，不正行為により支給した給与であるため損金の額に算入されません。

役員給与の取扱い

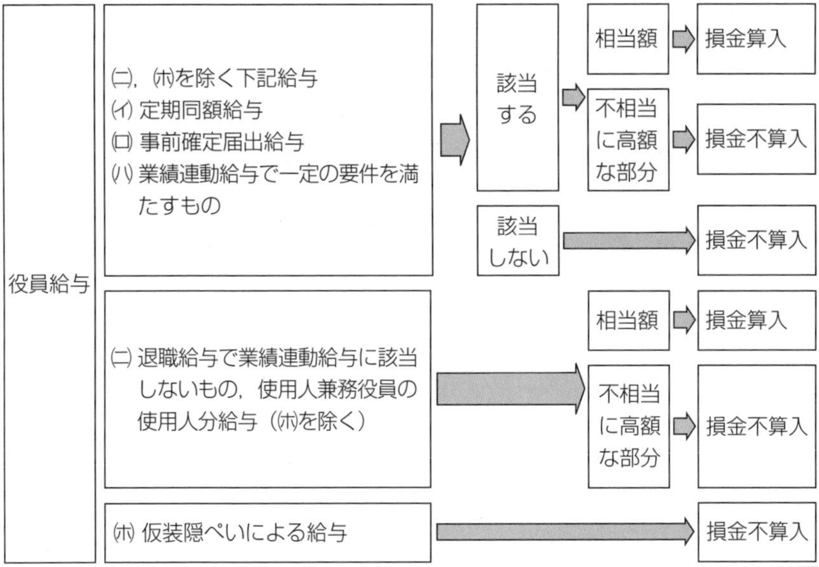

＜不相当に高額な部分の判断基準＞

法人税法上，役員給与が不相当に高額であるか否かは，実質基準および形式基準の２つの方法で判断することになります。実際に支給した役員給与が実質基準または形式基準により算定された金額を超えるときは，その超える金額は不相当に高額な部分となりますので損金の額に算入されません。

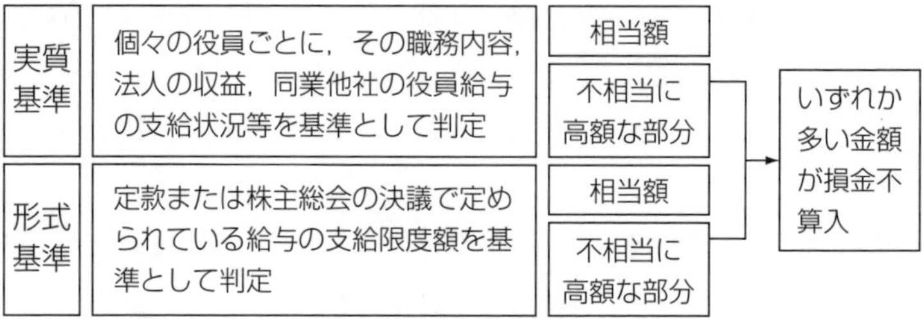

②　役員給与の支給形態

役員給与は，金銭として支給するものだけではなく，株式や新株予約権により支給する形態（株式報酬）があります。その主なものは以下のとおりですが，いずれも交付された株式を換金化することで，金銭と同様の報酬を得ることとなります。

⑴　譲渡制限付株式

一定期間の譲渡制限が付された株式を交付するもの。

⑵　ストックオプション

あらかじめ定められた価額で株式を取得することができる権利（新株予約権）を付与するもの。

⑶　株式交付信託

会社から信託へ拠出した金銭をもとに信託が市場等から取得した株式を交付するもの。

⑷　パフォーマンスシェア

業績目標の達成状況に応じて株式を交付するもの。

(2)　定期同額給与

①　定期同額給与の概要

法人がその役員に支給する給与のうち，支給時期が1か月以下の一定の期間ごとであり，かつ，その事業年度の各支給時期における支給額または支給額から源泉税等の額を控除した金額（手取り額）が同額である給与（定期同額給与）は，その支給額が不相当に高額でなければ損金の額に算入されます。

なお，次の給与も定期同額給与に含まれ損金の額に算入されます。

定期同額給与に含まれるもの

① 定期給与の額について，当該事業年度開始の日の属する会計期間開始の日から3月(注1)を経過する日までにその改定がされた場合

②〈臨時改定事由〉定期給与の額につき，役員の職制上の地位の変更，職務内容の重大な変更等により改定された場合（①の改定を除く）(注2)

③〈業績悪化改定事由〉定期給与の額につき法人の経営状況が著しく悪化したこと等により改定された場合（減額改定の場合に限り，①，②の改定を除く）(注3)

（①～③について）次のそれぞれの期間内の各支給時期における支給額が同額であるそれぞれの給与

- 事業年度開始の日から改定後最初の支給時期の前日までの期間
- 改定前の最後の支給時期の翌日から次の改定後最初の支給時期の前日までの期間
- 次の改定前の最後の支給時期の翌日から事業年度終了の日までの期間

④ 継続的に供与される経済的な利益のうち，その供与される利益の額が毎月おおむね一定であるもの

→ 定期同額給与として支給相当額が損金算入

(注1)　確定申告延長の特例により延長月数の指定を受けている場合には，その延長月数に2を加えた月数。

(注2)　＜臨時改定事由＞に該当するか否かは，役員の職務内容など個々の実態に即し，あらかじめ定められていた役員給与の額を改定せざるをえない事情があるかどうかにより判断することになります。以下のようなケースは＜臨時改定事由＞による改定に該当します。

①　代表者の急逝などやむをえない事情による臨時の分掌変更後に行われる増額改定

② 役員が病気で入院したことその他の事由により当初予定されていた職務の一部または全部の執行ができなくなった場合に行われる減額改定

(注３) ＜業績悪化改定事由＞には，財務諸表等の数値が相当程度悪化したことや倒産の危機に瀕したことだけではなく，経営状況の悪化に伴い第三者である利害関係者（株主，債権者，取引先等）との関係上，役員給与の額を減額せざるをえない以下のようなケースも含まれます。

① 株主との関係上，業績や財務状況の悪化について役員としての経営上の責任から役員給与の額を減額せざるをえない場合

② 取引銀行との間で行われる借入金返済リスケジュールの協議において，役員給与の額を減額せざるをえない場合

③ 業績，財務状況または資金繰りが悪化したため取引先等の利害関係者からの信用を維持・確保する必要性から経営状況の改善を図るための計画が策定され，これに役員給与の額の減額が盛り込まれた場合

＜具体例＞

定期同額給与に含まれるもの

・３月決算法人が６月末に役員Ａ氏の給与を月100万円から月150万円へ増額改定した場合

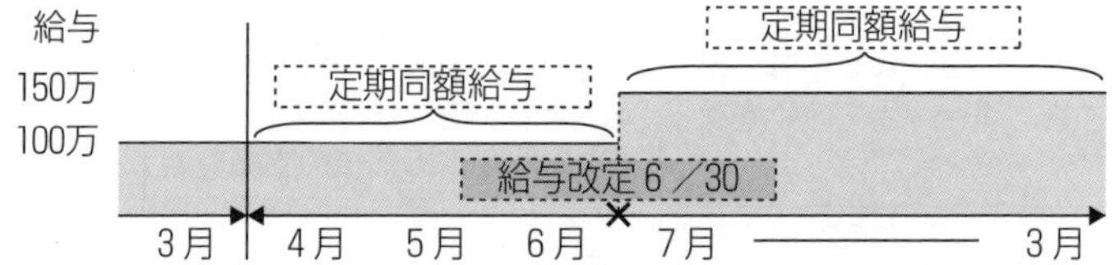

・３月決算法人が８月末に代表取締役Ａ氏の急逝に伴い分掌変更を行い，９月から取締役Ｂ氏が代表取締役となり，Ｂ氏の給与を月100万円から月150万円へ増額改定した場合

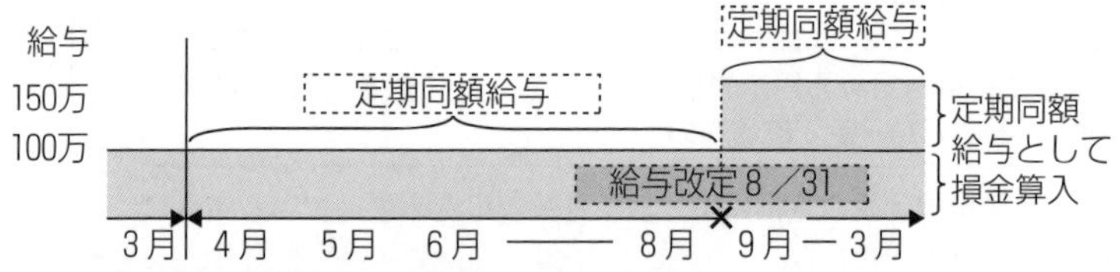

・３月決算法人が経営状況の著しい悪化等に伴い，７月末に役員Ａ氏の給与を月100万円から月50万円へ減額改定した場合

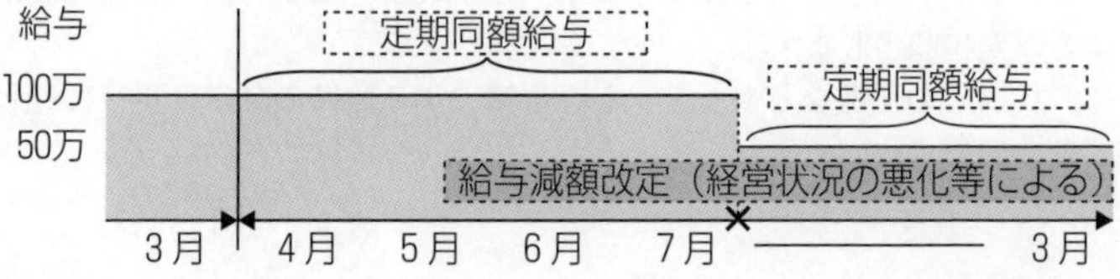

②　定期給与を改定した場合の損金不算入

法人が事業年度の中途に定期給与の額を変更した場合において，上記の定期同額給与に含まれるものに該当しない場合，例えば，会計期間開始の日から３月（または前々頁(注1)の月数）を経過した後に定期給与の額を増額改定したようなときには，原則として当該役員給与の全額が定期同額給与に該当しないことになり，当該役員給与の全額が損金不算入となります（「２.(1)①役員給与の取扱い」の図を参照)。

ただし，定期同額給与の増額改定が行われた場合において，増額後の各時期における支給額が同額であるときには，従前の定期同額給与とは別の定期給与が上乗せされて支給されたものとみて，上乗せして支給された定期給与の額のみが損金不算入となります。

＜具体例＞

３月決算法人が９月末に役員Ａ氏の給与を月100万円から月150万円へ増額改定した場合（前々頁(注1)の延長月数の指定がない場合）

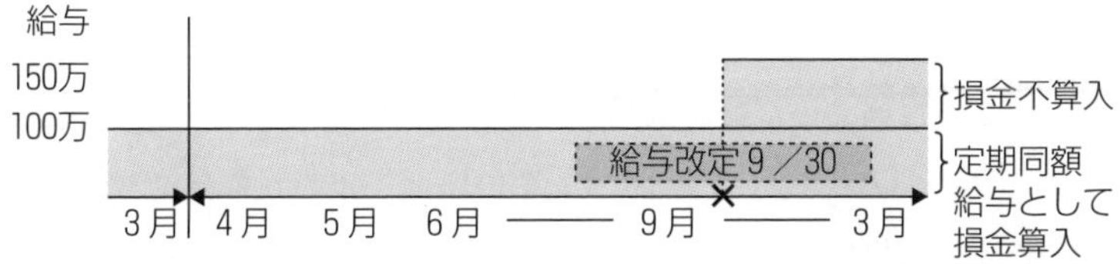

③　経営状況の悪化に伴う減額改定

事業年度の中途に法人の経営状況が著しい悪化までに至らない状況で定期給与の額を減額したときにおいても，原則としては増額改定の場合と同様，当該役員給与の全額が損金不算入となります。

ただし，定期同額給与の減額改定が行われた場合において，減額後の各支給額が同額であるときには，本来の定期同額給与の額は減額改定後の金額と捉え，減額改定前に支給していた定期同額給与は，本来の定期同額給与の額に上乗せして支給していたものとみて，その上乗せして支給された定期給与の額のみが損金不算入となります。

＜具体例＞

３月決算法人が経営状況の著しい悪化等に至らない状況で７月末に役員Ａ氏の給与を月100万円から月50万円へ減額改定した場合

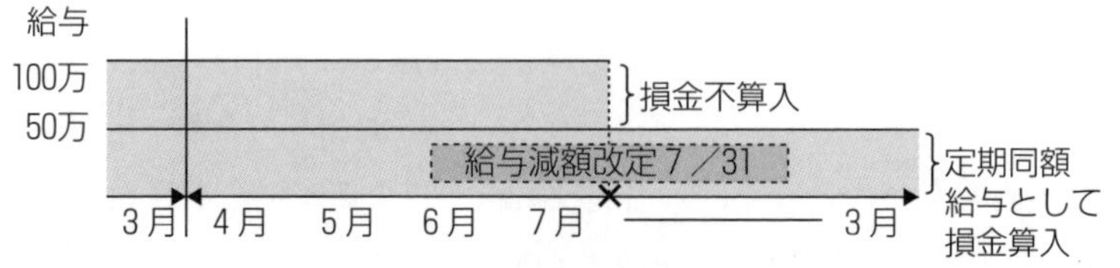

(3) 事前確定届出給与

① 事前確定届出給与の概要

法人がその役員に支給する金銭または一定の株式もしくは新株予約権もしくは特定譲渡制限付株式[注1]もしくは特定新株予約権[注2]のうち，その役員の職務につき事前に支給時期・支給金額等を定めていた給与で，納税地の所轄税務署長に対しその内容に関する届出をしているもの（定期同額給与，業績連動給与に該当する給与を除く）については，その支給した給与の額が不相当に高額でなければ損金の額に算入されます。一定の株式とは，市場価格のある株式等（適格株式）をいい，一定の新株予約権とは，その行使により市場価格のある株式が交付されるもの（適格新株予約権）をいいます（適格株式および適格新株予約権は，給与を支給する法人または当該法人の発行済株式等の50％超を有する一定の法人が発行するものに限る）。

税務署長への届出は，次の日までに行わなければなりません。

(注１) 一定期間の譲渡制限および没収理由（勤務条件または業績条件が達成されない場合にその株式を没収する事由）が定められている一定の株式をいいます。

(注２) 譲渡が制限されている一定の新株予約権をいいます。

なお，同族会社に該当しない法人が定期給与の支給を受けていない役員へ支給する給与で金銭によるもの（非常勤役員に対する年俸等）など一定の給与については，届出を行う必要はありません。

<table>
<tr><td rowspan="2">新たに届出を行う場合</td><td>(イ)　次のうちいずれか早い日（注３）
A．株主総会の決議等により，役員給与に係る決議をした日（その日が職務執行開始日後の場合には，職務執行開始日）から１月を経過する日
B．会計期間開始の日から４月（注４）を経過する日
（注３）　新設法人の場合には，設立の日以後２月を経過する日まで
（注４）　確定申告期限延長の特例により延長月数の指定を受けている場合には，その延長月数に３を加えた月数</td></tr>
<tr><td>(ロ)〈臨時改定事由〉役員の職制上の地位の変更，職務内容の重大な変更等により，事前確定届出給与の定めをした場合（直前の職務につきこの定めがあった場合を除く），(イ)の届出期限と事由が生じた日から１月を経過する日とのいずれか遅い日</td></tr>
<tr><td rowspan="2">既に届出を行っている場合</td><td>(ハ)〈臨時改定事由〉上記(ロ)と同様の事由により，届出内容を変更する場合，事由が生じた日から１月を経過する日</td></tr>
<tr><td>(ニ)〈業績悪化改定事由〉経営状況が著しく悪化したこと等により，届出内容を変更する場合，次のうちいずれか早い日
A．変更に係る株主総会等の決議日から１月を経過する日
B．Aの決議日後に最初に到来する変更前の届出に定める支給日の前日</td></tr>
</table>

事前確定給与に係る届出書の提出期限

３月決算法人で職務執行の日（定時株主総会開催の日）が５月末の場合

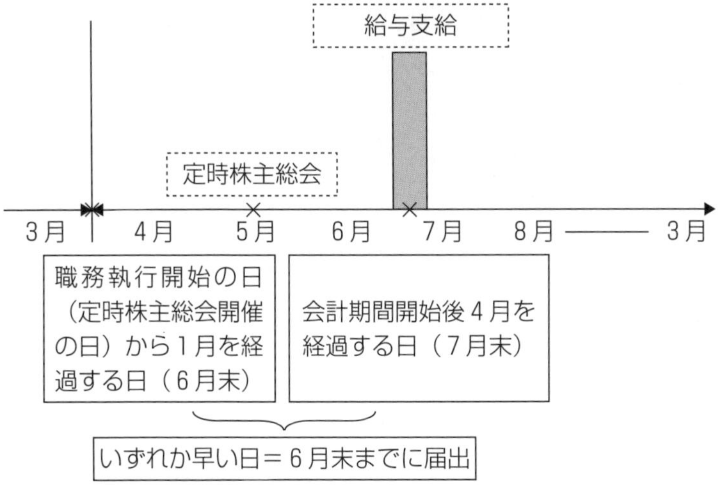

② 届け出た給与の額と実際の支給額が異なる場合

税務署へ事前に届け出た給与の額と実際に支給した給与の額とが異なる場合には，事前確定給与とはいえないことから実際に支給した給与の全額が損金不算入となります。

＜具体例＞

事前に税務署へ届け出た支給額が100万円，実際の支給額が150万円の場合

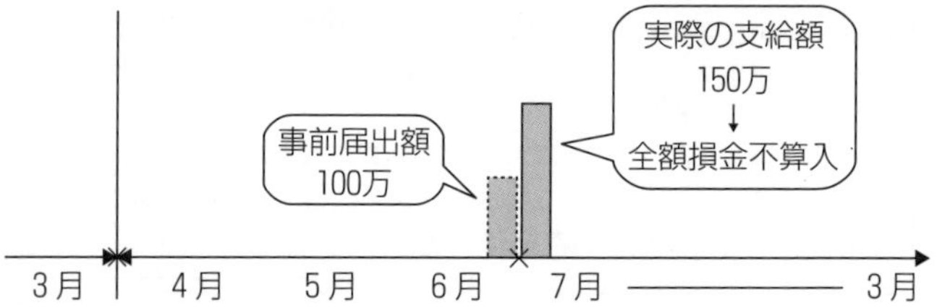

(4) 業績連動給与

内国法人（同族会社の場合は，非同族会社との間に当該法人による完全支配があるものに限る）がその業務執行役員に対して支給する利益に関する指標等を基礎とする給与（業績連動給与）[注1]で，一定の要件を満たすもの（他の業務執行役員の全員に対して，同様の要件を満たす業績連動給与を支給する場合に限る）は，透明性・適正性があると考えられるので，その額が不相当に高額でなければ損金の額に算入されます。

なお，業績連動給与の内容は，有価証券報告書に記載する等の要件があることから，この規定の適用は実質的に上場企業等に限定されていることとなります（下図③参照）。

業績連動給与が損金算入されるための一定の要件

算定方法が職務執行開始日以後に終了する事業年度（対象事業年度）の利益の状況を示す指標（有価証券報告書に記載される一定のものに限る）(注2) や所定の期間または日における株価等の状況を示す指標 (注3) を基礎とした客観的なもの（右①～③の要件を満たすもの）であること

① 確定額または確定数を限度としているものであり，かつ，他の業務執行役員に支給する業績連動給与の算定方法と同様のものであること

② 会計期間開始後３か月 (注4) 経過日までに報酬委員会 (注5) が決定 (注6) をしていること，その他これに準ずる適正な手続きを経ていること

③ その内容が②の決定等の日以後遅滞なく，有価証券報告書に記載されていることその他財務省令で定める方法により開示されていること

利益に関する指標等の数値が確定した後１か月以内 (注7) に交付され，または交付される見込みであること

損金経理していること (注8)

(注１)　株式または新株予約権を交付する場合には，適格株式または適格新株予約権に限ります（(3)①事前確定届出給与の概要を参照)。

(注２)　利益の額のほか，ROE（自己資本利益率)，ROA（総資産利益率)，その他一定の利益関連指標が該当します。

(注３)　その他，対象事業年度の売上高の状況を示す指標（有価証券報告書に記載される一定のもので，利益の状況を示す指標または株価等の状況を示す指標と同時に用いられるものに限る）も含まれます。

(注４)　確定申告期限の延長の特例により延長月数の指定を受けている場合には，その延長月数に２を加えた月数になります。

(注５)　会社法に規定する報酬委員会をいい，その委員の過半数が独立社外取締役（会社法に規定する社外取締役である独立職務執行者）であるものに限り，その内国法人の業務執行役員と特殊な関係にある者（業務執行役員の親族，事実上婚姻関係にある者等）がその委員であるものを除きます。

(注６)　報酬委員会の委員である独立社外取締役の全員がその決定に係る当該報酬委員会の決議に賛成している場合におけるその決定に限ります。

(注７)　株式または新株予約権による給与の場合は，２か月以内，特定新株予約権による給与で無償で取得または消滅する新株予約権の数が，役務の提供期間以外の事由により変動するものは，上記②の手続終了後１か月以内となります。

(注８)　給与の見込額として損金経理により引当金勘定に繰り入れた金額を取り崩す方法による経理を含みます。

業務執行役員

業務執行役員とは，前頁②の手続終了の日において，次の役員に該当する者をいいます。

その法人の業務を執行する役員	取締役(注)
	執行役
	取締役・執行役に準ずる役員

(注) 取締役会設置会社の代表取締役以外の取締役のうち，業務を執行する取締役として選定されていない者，社外取締役等は除きます。

(5) 役員退職給与

法人がその退職した役員に対して支給した退職給与（業績連動給与に該当しないものに限る）については，その支給した退職給与の額が不相当に高額でなければ損金の額に算入されます。

役員退職給与の取扱い

役員退職給与	相当額	⇒ 損金算入
	不相当に高額な部分	⇒ 損金不算入

不相当に高額か否かの判定

次の①，②，③等より判断	① その役員のその法人の業務に従事した期間 ② その退職の事情 ③ その法人と同種同規模の他の法人の役員退職給与の支給状況

(6) 使用人兼務役員の給与

使用人兼務役員に対して支給した使用人給与については，定期同額給与，事前確定届出給与，業績連動給与に該当しない場合に損金不算入とする規定は適用されませんが，不相当に高額な部分の金額がある場合には，その金額は損金の額に算入されません。なお，他の使用人に対する賞与と異なる時期に支給した使用人分賞与は，不相当に高額かどうかにかかわらず損金の額に算入されません。

使用人兼務役員に対して支給した役員給与は，通常の役員給与と同様の取扱いがなされます。

使用人兼務役員の給与の取扱い

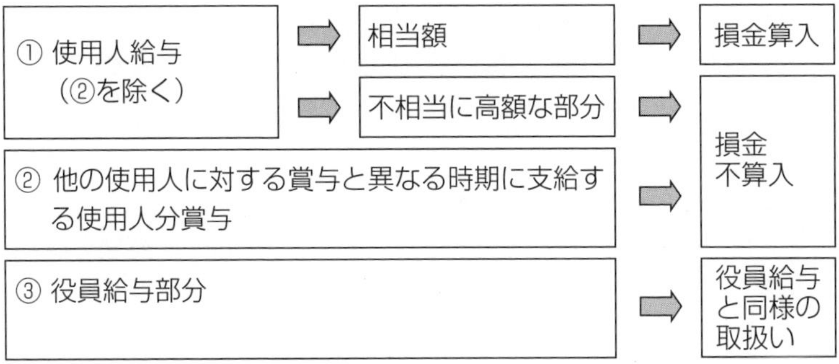

⑺　使用人給与の損金不算入

法人がその使用人に支給する給与の額は，従業員等に支給する給与であるため損金の額に算入されます。

ただし，その内国法人の役員の親族等で，役員と特殊な関係がある使用人（以下，「特殊関係使用人」という）に対して支給する給与（債務免除による利益その他の経済的利益を含む）の額のうち，不相当に高額な部分は損金の額に算入されません。

使用人給与の取扱い

使用人給与	⇒	損金算入
特殊関係使用人給与	相当額 ⇒	損金算入
	不相当に高額な部分 ⇒	損金不算入

不相当に高額か否かの判定

特殊関係使用人	給与（退職給与を除く）	次の①，②，③等より判断 ① その特殊関係使用人の職務の内容 ② その法人の収益・他の使用人に対する支給の状況 ③ その法人と同種同規模の他の法人の使用人給与の支給状況
	退職給与	次の①，②，③等より判断 ① その特殊関係使用人のその法人の業務に従事した期間 ② その退職の事情 ③ その法人と同種同規模の他の法人の使用人退職給与の支給状況

(8) 経済的利益の額

法人が役員等に対して，金銭以外のものを供与した場合（(例) 債務免除，低額譲渡）には，役員等に対して給与を支給したことと同様の経済的効果をもたらすため，これらを給与として以下のとおりに取り扱います。

経済的利益の区分

内　容	相手先	取扱い(注)
資産の贈与 資産の低額譲渡 個人的費用の負担等	役　員	役員給与
	使用人	使用人給与

(注) ただし，所得税法上課税されないもので，かつ，法人が給与として経理しなかった場合には，給与として取り扱われません。

経済的利益の具体的取扱い

経済的利益の内容	経済的利益の額
① 役員等に法人の資産を無償または低額譲渡した場合	時価－譲渡価額
② 役員等に社宅等を無償または低額で提供した場合	通常の賃料－受取賃料
③ 役員等に金銭を無利息または低利率で貸し付けた場合	通常の利息－受取利息
④ 役員等に機密費，接待費，交際費等の名目で支給したもののうち，法人の業務のために使用したことが明らかでないもの	支給額
⑤ 役員の個人的費用を負担した場合	負担額
⑥ 役員等の債務を無償で引き受けた場合	引受額

第２節　保　険　料

１．生命保険料

法人が役員または使用人を被保険者として生命保険に加入した場合，養老保険，定期保険および第三分野保険，定期付養老保険等の区分ごとにその取扱いが定められています。

(1)　養 老 保 険

養老保険は，保険期間内に被保険者が死亡したときには死亡保険金，満期まで生存していたときには満期保険金が支払われるものをいいます。

契約者が法人で，死亡保険金および満期保険金の受取人が法人の場合には，支払保険料は，その全額が保険積立金として資産計上されます。また，死亡保険金および満期保険金の受取人が役員もしくは使用人またはその遺族の場合には，支払保険料は，その役員または使用人の給与として取り扱われます。

なお，満期保険金の受取人が法人で，死亡保険金の受取人が役員または使用人の遺族の場合には，原則として支払保険料の２分の１が保険積立金として資産計上され，残額が期間の経過に応じ福利厚生費として損金の額に算入されます。しかし，当該保険が，役員または部課長その他特定の使用人（役員の親族等）のみを被保険者としている場合には，その残額は福利厚生費ではなく給与として取り扱われます。

養老保険の取扱い

契約者	被保険者	保険金受取人		取扱い
		死亡保険金	満期保険金	
法人	役　員 使用人	法人	法人	資産計上
		役員・使用人の遺族	役員・使用人	給与
		役員・使用人の遺族	法人	２分の１を資産計上
				２分の１を期間経過に応じて損金算入(注)

（注） 役員，特定の使用人のみを被保険者とするものは，給与とします。

⑵　定期保険および第三分野保険

定期保険は，保険期間内に被保険者が死亡した場合のみ死亡保険金が支払われるものをいいます。定期保険は掛捨てで，養老保険のように満期保険金がないため，定期保険の保険料に多額の前払部分の保険料が含まれている場合を除いて，原則としてその支払保険料は，損金の額に算入されます。なお，第三分野保険についても同様に取り扱われます。

定期保険および第三分野保険の取扱い(注１)

契約者	被保険者	保険金受取人	取扱い
法人	役　員 使用人	法人	期間経過に応じて損金算入
		役員・使用人の遺族	期間経過に応じて損金算入(注２)

（注１） 保険料に多額の前払部分の保険料が含まれている場合のその定期保険等は除きます。

（注２） 役員，特定の使用人のみを被保険者とするものは，給与とします。

(3) 定期付養老保険等

定期付養老保険とは，養老保険に定期保険または第三分野保険を付したものをいいます。支払保険料が養老保険部分と定期保険等部分に区分されているときにはそれぞれの支払保険料と同様の取扱いがされます。保険料が区分されていないときにはその支払保険料はすべて養老保険と同様の取扱いがされます。

定期付養老保険等の取扱い

契約者	被保険者	保険料の区分	取扱い	
法人	役　員 使用人	区分されている	養老保険部分	養老保険と同様の取扱い
			定期保険等部分	定期保険等と同様の取扱い
		区分されていない	養老保険と同様の取扱い	

2．損害保険料

法人が支払った損害保険料については，その保険が長期損害保険に該当するか否かによってその取扱いが異なっています。なお，長期損害保険とは，保険期間が3年以上で，かつ，保険期間終了後に満期返戻金が支払われるものをいいます。

損害保険料の取扱いについては次のとおりです。

長期損害保険の保険料の取扱い

<table>
<tr><th rowspan="2">保険対象物</th><th rowspan="2">契約者</th><th rowspan="2">被保険者</th><th colspan="2">取扱い</th></tr>
<tr><th>積立保険料相当分</th><th>左記以外の部分</th></tr>
<tr><td>法人所有の建物等</td><td>法人</td><td>法人</td><td>資産計上</td><td>期間の経過に応じて損金算入(注1)</td></tr>
<tr><td rowspan="2">賃借建物等</td><td>法人</td><td>建物等の所有者</td><td>資産計上</td><td>期間の経過に応じて損金算入(注1)</td></tr>
<tr><td>建物等の所有者</td><td>建物等の所有者</td><td colspan="2">建物等の賃借料として損金算入</td></tr>
<tr><td rowspan="2">役員または使用人の所有する建物等</td><td>法人</td><td>役員・使用人</td><td>資産計上</td><td>給与(注2)</td></tr>
<tr><td>役員・使用人</td><td>役員・使用人</td><td colspan="2">給与</td></tr>
</table>

長期損害保険以外の保険料の取扱い

<table>
<tr><th>保険対象物</th><th>契約者</th><th>被保険者</th><th>取扱い</th></tr>
<tr><td>法人所有の建物等</td><td>法人</td><td>法人</td><td rowspan="2">期間の経過に応じて損金算入(注1)</td></tr>
<tr><td rowspan="2">賃借建物等</td><td>法人</td><td>建物等の所有者</td></tr>
<tr><td>建物等の所有者</td><td>建物等の所有者</td><td>建物等の賃借料として損金算入</td></tr>
<tr><td>役員または使用人の所有する建物等</td><td>法人</td><td>役員・使用人</td><td>福利厚生費等
役員等の特定の者のみを対象としている場合は給与</td></tr>
</table>

(注1) ただし，短期の前払費用の取扱いが認められています。

(注2) ただし，所得税法上課税されないもので，かつ，法人が給与として経理しなかった場合には，給与として取り扱われません。

(注3) 長期損害保険以外の保険料には，積立保険料相当部分はありません。

第３節　寄　附　金

寄附金は，その事業との関連性があいまいなものも少なくないため，損金算入を制限する制度があります。ただし，国等に対する寄附金等一定のものについては，損金算入を制限すると寄附する者がいなくなってしまうため，政策的見地から，損金算入が認められています。

１．寄附金の範囲

法人税法上の寄附金は，一般的な寄附金の概念よりも範囲が広く，寄附金，拠出金，見舞金などの名義は問わず，金銭その他の資産の贈与，または経済的利益の無償の供与をいい，低額譲渡や低廉供与もこれに含まれることになります。

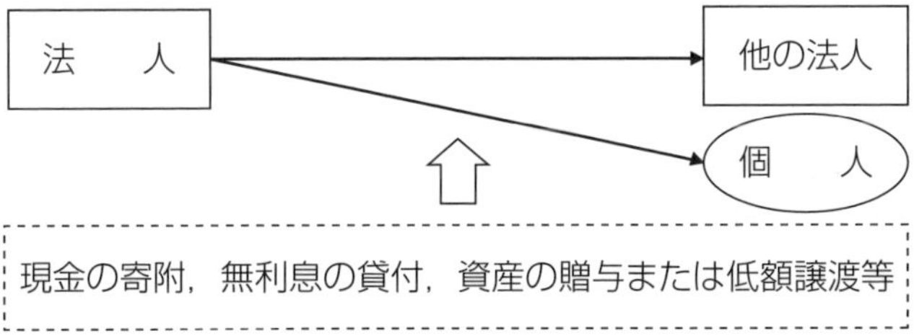

２．損金算入限度額

寄附金は，その種類によって取扱いが異なります。①国等に対する寄附金や②財務大臣の指定した寄附金については，その全額が損金の額に算入されますが，③一般の寄附金については，限度額を超える金額は損金の額に算入されません。また，④特定公益増進法人等に対する寄附金については，③一般の寄附金とは別枠で損金算入を認めています。

寄附金の種類とその取扱い

	損金算入額	損金不算入額
① 国等に対する寄附金	全額	—
② 財務大臣の指定した寄附金	全額	—
③ その他の一般的な寄附金	下記(イ)の範囲内	下記(イ)を超える額
④ 特定公益増進法人等に対する寄附金	下記(ロ)の範囲内	下記(ロ)を超える額

寄附金の損金算入限度額

(イ) ③の寄附金の損金算入限度額（普通法人の場合）

$$\text{損金算入限度額} = (\mathrm{A}+\mathrm{B}) \times \frac{1}{4}$$

$$\mathrm{A}\quad(\text{資本金}+\text{資本準備金})^{(注)} \times \frac{\text{当期の月数}}{12} \times 0.25\%$$

B　寄附金支出前の所得金額 × 2.5%

(ロ) ④の寄附金の損金算入限度額

$$\text{損金算入限度額} = (\mathrm{C}+\mathrm{D}) \times \frac{1}{2} + \text{(イ)の寄附金の損金算入限度額}$$

$$\mathrm{C}\quad(\text{資本金}+\text{資本準備金})^{(注)} \times \frac{\text{当期の月数}}{12} \times 0.375\%$$

D　寄附金支出前の所得金額 × 6.25%

(注)　令和４年３月31日以前に開始する事業年度は，資本金等の額を用います。

＜具体例＞

資本金と資本準備金の合計額1,000万円，所得金額2,000万円の普通法人（事業年度令和６年４月～令和７年３月）が，特定公益法人等に対する寄附金100万円，その他の一般的な寄附金50万円を支出した場合

・損金不算入額

{(1,000,000円 − 690,625円(注1)) + 500,000円} − 140,625円(注2) = 668,750円

(注１)　特定公益増進法人に対する寄附金の損金算入限度額（(イ)と(ロ)のいずれか少ない金額）

$$\text{(イ)}\quad(\mathrm{A}\ \ 37{,}500\text{円} + \mathrm{B}\ \ 1{,}343{,}750\text{円}) \times \frac{1}{2} = 690{,}625\text{円}$$

(ロ)　特定公益法人等に対する寄附金　1,000,000円

A　1,000万円 × $\frac{12}{12}$ × 0.375% ＝ 37,500円

B　(2,000万円 ＋ 100万円 ＋ 50万円) × 6.25% ＝ 1,343,750円

(注2)　その他の一般的な寄附金の損金算入限度額

(C　25,000円 ＋ D　537,500円) × $\frac{1}{4}$ ＝ 140,625円

C　1,000万円 × $\frac{12}{12}$ × 0.25% ＝ 25,000円

D　(2,000万円 ＋ 100万円 ＋ 50万円) × 2.5% ＝ 537,500円

3．完全支配関係のある法人間の寄附

法人が完全支配関係のある他の内国法人に対して支出した寄附金の額は，その全額が損金の額に算入されません。また，当該寄附金を受け取った側の法人については，その全額が益金の額に算入されません（第7章第2節3.(2)参照）。

第4節　交際費等

交際費は，企業の無駄遣いを節約させて自己資本を充実させようという政策的な理由から，原則としてその全額が損金の額に算入されません。しかし，交際費は商談や新規取引先の開拓など企業の経済活動に必要な費用であることから，これらの活動が交際費課税によって必要以上に阻害されることのないよう，期末資本金が100億円以下である法人については，接待飲食費の50%は損金算入を認めることとしています。

なお，中小法人については，交際費等のうち年800万円までの金額（定額控除限度額）と接待飲食費の50%の金額のいずれか有利な方を損金の額に算入することができます。

1．交際費等の範囲

法人税法上の交際費は，「交際費，接待費，機密費その他の費用で，その得意先，仕入先その他事業に関係がある者等に対する接待，供応，慰安，贈答そ

の他これらに類する行為のために支出するもの」とされており，その範囲は非常に広いものとなっています。

具体的に交際費等に該当するもの，該当しないものは次のとおりです。

交際費等に該当するものとしないものの区分

交際費等に該当するもの		交際費等に該当しないもの	
得意先	(1) 料亭・クラブ等での接待	① 福利厚生費	従業員慰安のための運動会，演芸会，旅行等
		② 広告宣伝費	カレンダー，手帳等の物品の贈答
仕入先	(2) 旅行・観劇等への招待	③ 会議費	会議に関連して支出した茶菓，弁当
その法人の役員	(3) 中元・歳暮の贈答	④ 取材費	出版物または放送番組の取材費用
		⑤ 飲食費	1人あたり10,000円以下（令和6年4月1日までの支出は5,000円以下）の社外の者との飲食費用(注)
その法人の使用人	(4) その他これらに類する行為	⑥ 上記①～⑤の他，寄附金，値引き・割戻し，広告宣伝費，福利厚生費，給与等の性質を有するもの	

(注) 交際費に該当しないものとするためには，一定の書類（①飲食等のあった年月日，②参加した得意先，仕入先等の名称・関係，③参加した者の数，④費用の金額，⑤飲食店等の名称・所在地，⑥その他参考になる事項を記載したもの）を保存する必要があります。

2．損金算入限度額

前述したとおり，交際費等の額は，原則としてその全額が損金不算入とされていますが，期末資本金が100億円以下である法人については，接待飲食費の50%までは損金の額に算入することができます。

この特例の対象となる接待飲食費は一定の事項を記載した帳簿書類を保存する必要があり，1人あたり10,000円以下（令和6年3月31日以前に支出する飲食費は5,000円以下）の交際費等に該当しないものとされる飲食費及び社内交際費は含まれません。

また，期末資本金の額が１億円以下の中小法人については，接待飲食費の50％ではなく，交際費等のうち年800万円までの金額（定額控除限度額）を損金の額に算入することもできます。ただし，資本金の額が５億円以上である法人等の100％子法人である中小法人等については，定額控除限度額の損金算入は選択できません（第７章第２節３.(4)参照）。

交際費等の損金算入限度額

区分	損金算入限度額		
中小法人（注）	交際費等の額が年800万円以下	支出金額	
	交際費等の額が年800万円超	有利選択	年800万円
			接待飲食費×50%
中小法人以外	期末資本金が100億円以下	接待飲食費×50%	
	期末資本金が100億円超	なし（全額損金不算入）	

(注)　中小法人とは，期末資本金の額が１億円以下の法人（資本金の額が５億円以上の法人の完全子法人等を除く）等をいいます。

第５節　租税公課

法人が納付する税金には，法人税・住民税・事業税・固定資産税等があります。これらの税金は，会計上は法人税，住民税および事業税，租税公課といった科目で費用に計上されますが，法人税法上，次の税金については損金算入を認めていません。

①　法人税，地方法人税および住民税

② 税金滞納による延滞税や加算税，交通違反による罰金等

③ 法人税額から控除する所得税・外国税

①の税金は，もともと所得の中から納付することが予定されているものであるため，損金の額に算入されません。

次に②は，延滞税や加算税，交通違反金といった制裁的意味を持つものであることから，これらの税金を損金の額に算入すると，制裁としての効果が税金減少により軽減されるため，損金の額に算入されません。

③の税金は，税額控除に加えて損金算入を行うと二重控除になるため，損金不算入として取り扱います（税額控除を行わない場合には，損金の額に算入される）。

税金の取扱い一覧

税金の種類	損金算入	損金不算入
法　人　税		○
住　民　税		○
事業税・特別法人事業税	○	
延滞税・加算税		○
利子税（納期限の延長によるもの）	○	
罰金・交通違反金等		○
源泉所得税のうち法人税から控除するもの		○
源泉所得税のうち法人税から控除しないもの	○	
固定資産税・都市計画税	○	
事業所税	○	
自動車税・自動車取得税	○	
印　紙　税	○	

第6節　海外渡航費

法人が役員または使用人に対して海外渡航のために支給する旅費等は，法人の業務遂行上必要と認められる場合に，その渡航のために通常必要と認められる範囲内において旅費として損金の額に算入されます。

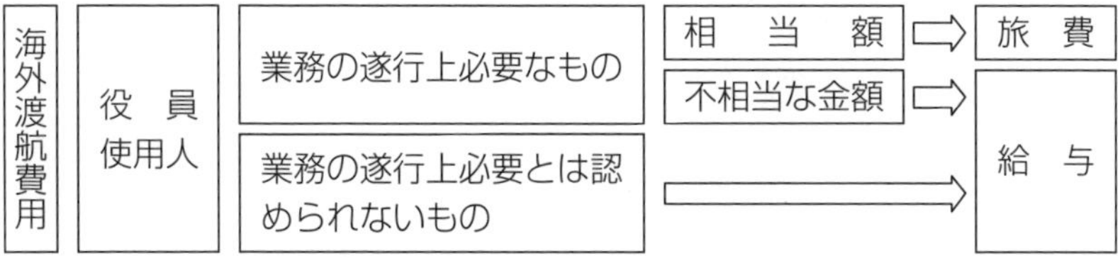

第7節　資産の評価損

資産の評価損は，原則として損金の額に算入されません。よって，たとえ法人がその有する資産の評価換えをしてその資産の帳簿価額を減額した場合でも，その減額した金額は損金の額に算入することはできません。

しかし，会社法においては所有する資産について一定の事実が生じた場合には，保守主義の観点から帳簿価額の減額が要請されています。そこで税法上も，棚卸資産や有価証券，固定資産などのいわゆる費用性資産（預貯金・売掛金・貸付金等の債権は除く）について，特定の事実が生じた場合に資産の評価換えをして損金経理によりその帳簿価額を減額したときは，時価と帳簿価額の差額を限度に評価損の損金算入を認めています。

＜具体例＞

取得価額3,000円の棚卸資産が，著しい陳腐化によりその時価が1,000円まで下落している場合

評価損計上時

（借）棚卸資産評価損　2,000　（貸）棚　卸　資　産　2,000

時価1,000円と帳簿価額3,000円の差額である2,000円を限度として，損金経理を行うことを条件に評価損の損金算入が認められます。

以下，棚卸資産，有価証券および固定資産について，評価損が認められる特定の事実を具体的に確認します。

1．棚 卸 資 産

法人の有する商品・製品等の棚卸資産について，次に掲げる特定の事実が生じた場合には評価損の損金算入が認められます。

なお，単なる物価変動や過剰生産によって価額が低下しただけでは，評価損の損金算入は認められません。

特定の事実	具　体　例
① 災害により著しく損傷したこと	・風水害による商品の水漏れなど
② 著しく陳腐化したこと	・季節商品の売れ残りで過去の経験から通常の方法では販売できないことが過去の実績で明らかなこと（例：服飾関連製品） ・型や品質，性能が著しく異なる新製品が発売され，通常の方法では販売できないようになったこと（例：パソコン）

③ 法令による評価換え	・更生計画認可の決定があったことにより会社更生法等の規定に従って行う評価換え等
④ ①～③に準ずる特別の事実	・破損，型崩れ，棚ざらし，品質変化等により通常の方法では販売できないようになったこと（例：展示品）

2．有価証券

法人の有する株式等の有価証券について，その種類ごとに次に掲げる一定の事実が生じた場合には，評価損の損金算入が認められます。

なお，この規定は売買目的か売買目的以外かの区分にかかわらず適用されます。

特定の事実	具体例
① 取引所売買有価証券，店頭売買有価証券およびその他価格公表有価証券（企業支配株式を除く），市場有価証券以外の有価証券（株式等を除く）の価額が著しく低下したこと	価額が著しく低下＝時価が帳簿価額の50%相当額を下回り，かつ，近い将来その価額の回復が見込まれないこと(注1)
② 上記以外の有価証券について，発行法人の資産状態が著しく悪化したため，その価額が著しく低下したこと	資産状態が著しく悪化＝1株あたり純資産が取得時に比べて50%以上下回ること，民事再生法による再生手続きの開始決定，破産宣告 価額が著しく低下＝時価が帳簿価額の50%相当額を下回り，かつ，近い将来その価額の回復が見込まれないこと

③ 法令による評価換え	更生計画認可の決定があったことにより会社更生法等の規定に従って行う評価換え等
④ ①～③に準ずる特別の事実	

(注1) 株価の回復可能性の判断基準については，国税庁が「上場有価証券の評価損に関するQ＆A」(平成21年４月３日公表) を公表しています。

(注2) ただし，法人の有する株式等の発行法人が，完全支配関係がある内国法人で清算中のもの等である場合には，上記の特定の事実が生じていたとしても，有価証券の評価損の損金算入は認められません。

3．固定資産

法人の有する土地・建物等の固定資産について，次に掲げる事実が生じた場合にはその評価損の損金算入が認められます。

① 災害による著しい損傷

② １年以上にわたる遊休状態

③ 本来の用途に使用できないため転用されたこと

④ 所在場所の状況の著しい変化

⑤ 更生計画認可の決定があったことにより会社更生法等の規定に従って行う評価換え等

⑥ その他①～⑤に準ずる特別の事実

(例) やむをえない事情によりその取得の日から１年以上事業の用に供されないこと

なお，次のような事実による時価の低下の場合には，評価損の損金算入は認められません。

・過度の使用または修理の不十分による著しい損耗

・減価償却を行っていないための償却不足額の発生

・取得価額がその取得の時における事情等により同種の資産の価額に比して高いこと

・機械および装置が製造方法の急速な進歩等により旧式化していること

第８節　貸倒損失

法人の有する売掛金等の金銭債権について，一定の事実が生じた場合には，当該金銭債権のうち全部または一部の金額を貸倒損失として損金算入することが認められています。

債権の種類
貸付金，未収入金，立替金，前渡金その他これらに準ずる債権
売掛金，受取手形等の売掛債権

一定の事実	損金経理	備忘価額
（法律上の貸倒れ）債権の一部または全部が法的手続きにより切り捨てられた場合	不　要 （経理処理にかかわらず損金に算入される）	不　要
（事実上の貸倒れ）債権の全部が債務者の資産状況，支払能力からみて回収不能となった場合	必　要	不　要 （備忘価額を残してはならない）
（形式上の貸倒れ）債務者との取引停止後，１年以上経過した場合，または取立費用の方が多い場合	必　要	必　要

１．法律上の貸倒れ

次の事実により金銭債権の全部または一部の切捨てや免除が行われた場合に

は，その事実が発生した事業年度に貸倒損失を計上しなければなりません。

① 会社更生法による更生計画の認可決定または民事再生法による再生計画認可の決定

② 特別清算に係る協定の認可の決定

③ 債権者集会の協議決定，行政機関・金融機関等の斡旋による当事者間の契約で合理的な基準により負債整理を定めているもの（この場合には債権者間の利害の一致を立証するため，一定の切捨率を定めた合理的基準の存在が必要）

④ 書面による債務免除（債務超過の状態が相当期間継続し，かつ，弁済を受けることができないと認められる場合に限る）

2．事実上の貸倒れ

債務者の資産状況，支払能力からみて金銭債権の全額が回収不能と客観的に判断される場合には，その明らかとなった事業年度（担保がある場合にはその処分後，債務保証がある場合にはその履行後）に貸倒損失を計上することができます。金銭債権の全額が回収不能とは，例えば金銭債権が100万円ある場合には，その100万円全額が回収不能であることをいいます。

3．形式上の貸倒れ

売掛債権（売掛金，未収請負金その他これらに準ずる債権をいい，貸付金その他これに準ずる債権を含まない）に限り次のいずれかの事実が発生した場合には，備忘価額（1円）を残して貸倒損失を計上することができます。

① 債務者との取引を停止(注)した時（最終取引日，最終入金日および入金約定日の最も遅い時）から1年以上を経過した場合（担保がある場合を除く）

(注) 取引の停止は，継続的な取引を行っていた債務者につきその資産状況，支払能力等が悪化したためその後の取引を停止するに至った場合をいいます。

② 同一地域の債務者に対して有する債権の総額が，その債権を取り立てるための旅費や弁護士報酬等の取立費用の総額を下回る場合（支払を督促したにもかかわらず弁済がないときに限る）

第9節　損害賠償金

1．損害賠償金の取扱い

法人の役員や使用人が他人に与えた損害について，法人がその損害賠償金を支払った場合には，その損害を与えた際の行為の態様の違いにより以下のように取り扱います。

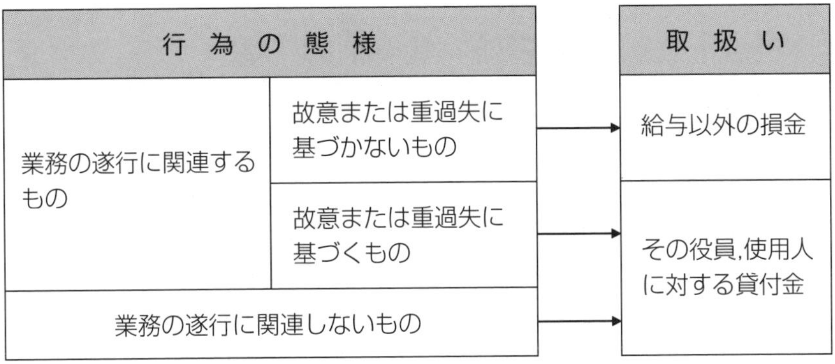

業務の遂行に関連しないものおよび業務の遂行に関連するものでも故意または重過失に基づくものは，その損害賠償金を支出した法人の損金とすることはできず，その役員，使用人に対する貸付金となります。

この場合に，その役員，使用人の支払能力から判断して求償できない事情がある場合には，その全額または一部の金額を損金経理により貸倒処理することができます。

その役員，使用人から確実に回収できると認められる金額があるにもかかわらずこの金額を回収しないこととしたときは，その金額はその役員，使用人に対する給与（賞与）となります。

2．損害賠償金の損金算入時期

⑴　原　　　則

法人の支出した損害賠償金の損金算入時期は，原則として損害賠償金として支出する額が確定した日に損金計上します。

⑵　特　　　例

特例として損害賠償金として被害者に申し出た金額をその申し出た日に損金(未払金) 計上することができます。

第10節　圧 縮 記 帳

1．制度の概要

⑴　圧縮記帳とは

圧縮記帳とは，資産の譲渡益または金銭の受贈益が生じた場合に，一定の要件のもとに所定の資産の帳簿価額を減額(圧縮)して損金の額に算入することを認める制度です。譲渡益または受贈益と圧縮損を相殺してその時点における譲渡益を一時的に生じさせないようにする税法固有の計算方法です。

⑵　圧縮記帳の種類

①　国庫補助金等による固定資産の取得

②　交換による固定資産の取得

③　保険差益による固定資産の取得

④　収用等による固定資産の取得

⑤　特定資産の買換えによる固定資産の取得

などの規定が設けられています。

⑶　圧縮記帳の経理

圧縮記帳による損金算入は，確定した決算において一定の経理をすることを要件としており，単に申告書上で損金の額に算入する方法は認められていません。この一定の経理には，以下の３つの方法があります。

①　損金経理により帳簿価額を減額する方法

②　確定決算で積立金として積み立てる方法

③　確定決算で剰余金の処分により積立金として積み立てる方法

交換の場合には①の方法のみ認められており，収用等の場合および特定資産の買換えの場合には①から③のいずれの方法も認められています。

以下，交換，収用等，特定資産の買換えについて要点を解説します。

2．交　　換

固定資産を交換した場合には，税務上は原則として交換取得資産の時価と交換譲渡資産の帳簿価額との差額を譲渡損益として課税することになっています。

しかし，同じ種類の固定資産を交換し，かつ，同一用途に供している場合には，従来の資産をそのまま引き続き使用しているのと変わりがなく，また交換は通常金銭の授受を伴わないため譲渡益が発生した場合には法人にとって名目的な利益にすぎず，担税力もないこと等から，一定の要件に該当する交換については圧縮記帳が認められます。

制度の概要

対象法人	内国法人（清算中の法人を除く）
適用要件	①　譲渡資産：１年以上所有していた固定資産で次に掲げるものであること (イ)　土　地　等 (ロ)　建物（附属設備，構築物を含む） (ハ)　機械および装置 (ニ)　船　　　舶 (ホ)　鉱　業　権 ②　取得資産：次のすべての要件を満たす固定資産 ・相手方が１年以上所有している固定資産 （交換のために取得したものは不適用） ・譲渡資産と種類を同じくする資産 ・譲渡資産の譲渡直前の用途と同一の用途に供すること

適用要件	【同一用途の判定基準】 (イ)　土地：宅地，田畑，山林，牧場または原野その他 (ロ)　建物：住居，店舗または事務所，工場，倉庫その他 (ハ)　機械装置：耐用年数省令別表第二に掲げる設備の種類 (ニ)　船舶：漁船，運送船，作業船，その他 （例）宅地 ⇔ 宅地(同一用途) 　　　宅地 ⇔ 田畑(同一用途ではない) ③　時価（交換差金を含む）の差がいずれか高い時価の20%以内であること
圧縮限度額	①　等価交換の場合 $\text{取得資産の価額} - \left(\text{譲渡資産の譲渡直前の帳簿価額} + \text{譲渡経費}\right)$ ②　交換差金を支払った場合 $\text{取得資産の価額} - \left(\text{譲渡資産の譲渡直前の帳簿価額} + \text{譲渡経費} + \text{交換差金}\right)$ ③　交換差金を取得した場合 $\left\{\text{取得資産の価額} - \left(\text{譲渡資産の譲渡直前帳簿価額} + \text{譲渡経費}\right)\right\} \times \dfrac{\text{取得資産の価額}}{\text{取得資産の価額} + \text{交換差金}}$
経理要件	帳簿価額の直接減額方式のみ
損金算入額	会社計上圧縮額のうち,圧縮限度額までが損金に算入される。 会社計上圧縮額－圧縮限度額＝（－の場合）税務調整なし （＋の場合）税務調整あり (超過額は損金不算入。ただし，対象資産が減価償却資産の場合，超過額は減価償却費と合わせて調整を行う）
申告要件	確定申告書に損金算入に関する明細（別表13(3)）の添付ががあること

＜具体例＞

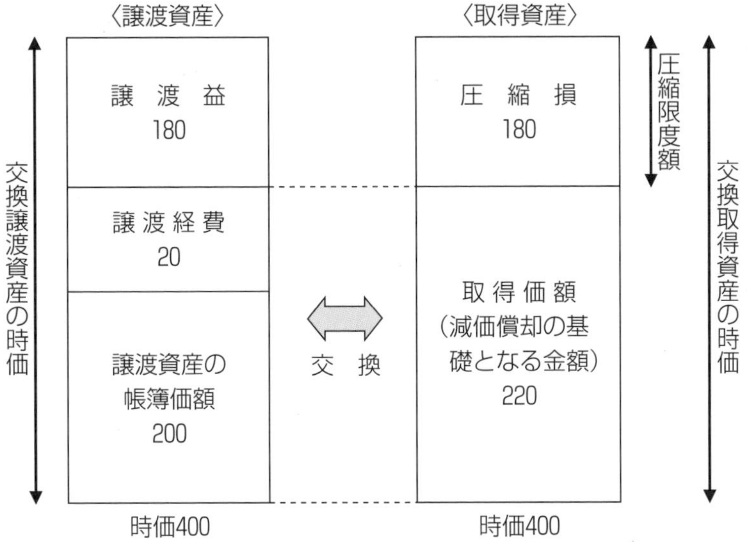

（借）	取得資産	400	（貸）	譲渡資産	200
				現金	20
				譲渡益	180
（借）	圧縮損	180	（貸）	取得資産	180

3．収　用　等

法人の有する資産が公共または公益のために必要な場合には，土地収用法その他の規定に基づき強制的に収用等される場合があります。このような強制的な手段による資産の収用等であっても，譲渡として時価と帳簿価額との差額を譲渡益として課税することになっています。

しかし，収用等により法人の有する資産（棚卸資産は除く）を譲渡した場合には，税務上次のような特例が設けられており，下記①または②のうちいずれかを選択適用することができます。

＜特例＞

① **代替資産の圧縮記帳**

収用等により資産を譲渡し，その対価として取得した補償金，対価または精算金（以下，「補償金等」という）により代替資産を取得した場合には，代替資産の帳簿価額につき，一定の金額の範囲内で圧縮記帳ができます。

② **所得の特別控除**

収用等により資産を譲渡した場合には，その譲渡益の額のうち5,000万円に達するまでの金額を損金の額に算入することができます。

(1) 対象資産

棚卸資産以外の資産

(2) 適用要件

① 土地収用法，都市計画法等に基づいて資産が収用等され，補償金等を取得すること

② 補償金等をもって代替資産を一定期間内に取得すること（圧縮記帳のみ）

③ 収用等の申出から6か月以内に譲渡すること（特別控除のみ）

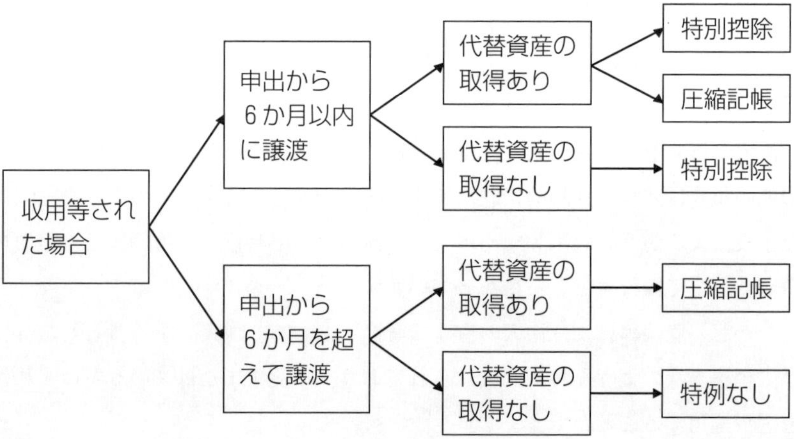

(3) 代替資産の範囲

譲渡した資産と同種の資産その他これに代わるべき資産として一定のもの

(4) 圧縮記帳の場合の圧縮限度額の計算

代替資産の取得価額	いずれか少ない金額	×	差益割合(注)	=	圧縮限度額
補償金等－譲渡経費					

(注)　差益割合の計算

$$\frac{（補償金等－譲渡経費）－譲渡資産の帳簿価額}{（補償金等－譲渡経費）}$$

(5) 圧縮記帳に代えて特別控除の選択をする場合

収用等によって補償金等を取得した場合において，次の要件のすべてを満たしている場合には，5,000万円と譲渡益の額(補償金等の額－譲渡資産の帳簿価額－譲渡経費の額)とのいずれか少ない金額を損金の額に算入することができます。

① その譲渡を行った事業年度のうち同一年に属する期間中に収用等により譲渡したすべての資産について圧縮記帳等をしていないこと

② 譲渡が買取り等の申出があった日から6か月以内に行われたこと

③ 譲渡が最初に買取り等の申出を受けた者によって直接行われたこと

4. 買　換　え

法人が特定の資産（棚卸資産を除く）を譲渡し，一定期間内に特定の資産を取得して事業の用に供する場合には圧縮記帳が認められます。

制度の概要

対象法人	内国法人（清算中の法人を除く）
適用要件	①　指定期間内に棚卸資産以外の資産を譲渡すること ②　譲渡事業年度に買換資産を取得すること ③　取得日から１年以内に事業の用に供する（供する見込みである）こと ④　（令和6年4月1日以後取得・譲渡の場合）一定期間内に納税地の所轄税務署長へ届出書を提出すること （注）　譲渡事業年度に買換資産を取得できないときは，譲渡事業年度の翌事業年度中に取得してもよい。 また，譲渡事業年度の前事業年度に購入してある資産を買換資産とすることも可能である（先行取得）。なお，買換資産を先行取得する場合には，一定の期間内に，先行の規定の適用を受ける旨等の一定の事項を記載した届出書を税務署長に提出しなければならない。
圧縮限度額	①　差益割合 $\dfrac{\text{譲渡資産の譲渡対価の額} - \left(\text{譲渡資産の譲渡直前の帳簿価額} + \text{譲渡経費}\right)}{\text{譲渡資産の譲渡対価の額}}$ ②　圧縮限度額 買換資産の取得価額／譲渡資産の譲渡対価の額 ｝いずれか少ない金額×差益割合×課税繰延割合(注)
経理要件	帳簿価額の直接減額方式，確定決算積立方式，剰余金処分積立方式のいずれでも可
損金算入額	会社計上圧縮額のうち圧縮限度額までが損金に算入される 会社計上圧縮額－圧縮限度額＝（－の場合）税務調整なし （＋の場合）税務調整あり （超過額は損金不算入。ただし，対象資産が減価償却資産の場合，超過額は減価償却費と合わせて調整を行う）

申告要件	確定申告書に損金算入に関する明細（別表13(5)）の添付があること

(注)　課税繰延割合は，基本的には80%ですが，譲渡資産と買換資産の内容により変わります。例えば，3号買換えの場合には次のとおりとされています。

譲渡資産	取得資産	課税繰延割合
東京都特別区の区域	地域再生法の集中地域以外	本店資産：90% 上記以外：80%
地域再生法の集中地域以外	地域再生法の集中地域内	75%
地域再生法の集中地域以外	東京都特別区の区域	本店資産：60% 上記以外：70%
上記以外		80%

・本店資産…本店または主たる事務所として使用する建物・構築物と，その敷地である土地等

特定資産の買換えによる圧縮記帳の適用例（3号買換の場合）を下記表に例示します。

譲渡資産と買換資産の範囲

譲渡資産	買換資産
国内にある ・土地等 ・建　物 ・構築物 で，10年超所有しているもの	国内にある ・土地等(注) ・建　物 ・構築物

(注)　以下に掲げる要件に該当する土地等に限ります。

・事務所等一定の施設の敷地の用に供されるもの（当該施設に係る事業の遂行上必要な駐車場の用に供されるものを含む）または駐車場の用に供されるもの（建物または構築物の敷地の用に供されていないことについて，やむをえない事情があるものに限る）であること

・その面積が300㎡以上のものであること

5．資産の譲渡等に係る特別控除額の上限

法人が資産の譲渡等をした場合に，上述の収用等の特別控除や特定の長期所有土地等の所得の特別控除などの規定を複数適用することにより，これらの規定により損金算入する金額の合計額(注)が5,000万円を超えるときは，その超える部分の金額は損金算入されません。

(注) 5,000万円を超えるかどうかは完全支配関係のある法人全体の合計額により判定します。

第11節　貸倒引当金

販売費および一般管理費(償却費を除く)は，事業年度末までの債務確定を前提とし損金算入されます。

そのため，たとえ将来発生することが予想される費用であっても見積もり計上は認められず，実際にその費用が発生したときに損金算入されます。しかし，企業会計においては，将来発生することが予想される費用・損失をあらかじめ見積もって引当金として計上することが求められていることから，税法でも一部の引当金に関しては，一定の要件の下に定められた限度額の範囲内でその繰入額を損金算入することを認めています。

1．適用対象法人

貸倒引当金繰入額の損金算入制度の適用対象法人は，中小法人(注)等，銀行および保険会社その他これらに準ずる法人等に限定されています。

(注) 中小法人とは，普通法人のうち，事業年度終了の時において資本金の額が1億円以下であるものまたは資本を有しないものをいいます。ただし，資本金の額が5億円以上である法人の100%子法人等を除きます（第7章第2節3.(4)参照)。

2．損金算入

(1) 概　要

中小法人等がその有する金銭債権の貸倒れによる損失の見込額として損金経

理により貸倒引当金勘定に繰り入れた金額のうち，期末における金銭債権の額を基礎として算定される繰入限度額に達するまでの金額は，損金の額に算入されます。

貸倒引当金の繰入限度額は，個別評価金銭債権と一括評価金銭債権とに区分してそれぞれ繰入限度額を計算するとともに，さらに個別評価金銭債権については，債務者ごとに繰入限度額を計算します。

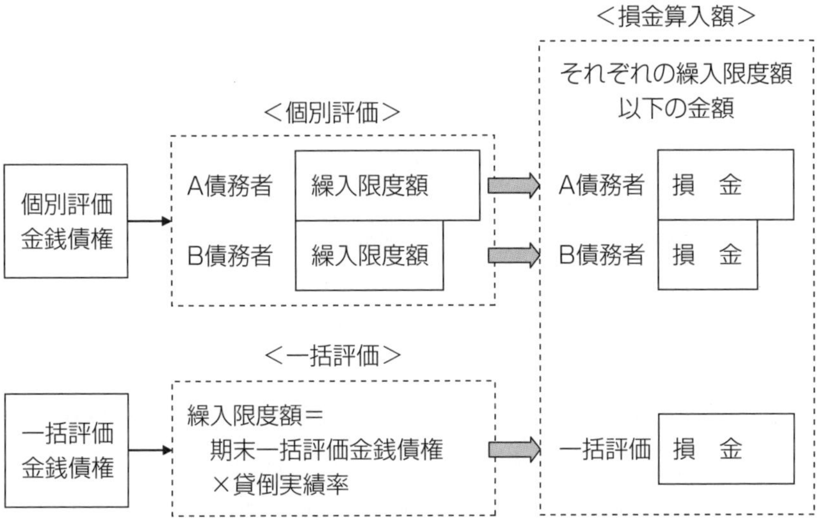

(2)　繰入限度額の計算

①　個別評価金銭債権に係る繰入限度額

(イ)　対 象 債 権

金銭債権のうち一定の事由による損失が見込まれる債務者に対する金銭債権（債券を除く）(注)

（例）売掛金，受取手形，貸付金，保証金，前渡金等

(注)　100%グループ法人間の金銭債権を除きます。

(ロ) 弁済猶予等があった場合の繰入限度額

a．設 定 事 由

個別評価金銭債権が下記の事由により弁済猶予または賦払弁済される場合

・会社更生法の規定による更生計画認可の決定

・民事再生法の規定による再生計画認可の決定

・特別清算に係る協定の認可の決定

・債権者集会の協議決定等

b．繰入限度額

対象金銭債権 － 上記設定事由が生じた事業年度終了日の翌日から５年を経過する日までの弁済予定金額 － 担保に係る取立て等の見込額

(ハ) 取立て等の見込みがない場合の繰入限度額

a．設 定 事 由

下記事項によりその個別評価金銭債権の一部の金額につきその取立て等の見込みがないと認められる場合

・債務超過の状態が相当期間継続し，その事業に好転の見通しがない場合

・災害，経済事情の急変により多大な損害を生じたこと

・担保物以外に取立て見込みがないことが明らかになった場合において，その担保物の処分に日時を要すること

b．繰入限度額

対象金銭債権 － 担保権の実行その他による取立て等の見込額

(ニ)　形式基準による場合の繰入限度額

a．設 定 事 由

・会社更生法の規定による更生手続開始の申立て

・民事再生法の規定による再生手続開始の申立て

・特別清算開始の申立て

・手形交換所の取引停止処分等

b．繰入限度額

（対象金銭債権　－　取立て等の見込額）× 50%

c．取立て等の見込額

・実質的に債権と見られない部分の金額(注)

・担保部分（質権・抵当権）の金額

・金融機関または保証機関に保証される部分の金額

・第三者の振り出した手形の金額

(注)　売掛金に対する買掛金，借入金等のように相殺適状にあるものをいい，同一人に対する個別評価金銭債権の額の合計額と債務の合計額とのいずれか少ない金額をいいます。

②　一括評価金銭債権に係る繰入限度額

(イ)　対 象 債 権

売掛金，貸付金その他これらに準ずる金銭債権（債券を除く）(注)で上記①により個別評価の対象となった金銭債権を除いたものをいいます。

(注)　100%グループ法人間の金銭債権を除きます。

(ロ)　債権の区分

a．一括評価金銭債権に該当する債権

・売掛金，受取手形，貸付金，未収の譲渡代金等

b．一括評価金銭債権に該当しない債権

・保証金，敷金，預け金

・手付金，前渡金

・前払給料，概算払旅費

・仕入割戻しの未収金等

c．繰入限度額

期末の一括評価金銭債権の帳簿価額 × 貸倒実績率（小数点以下4位未満切上げ）(注)

(注)　貸倒実績率

分子：

〔その事業年度開始の日前3年以内に開始した各事業年度の売掛債権等の貸倒損失の額
＋
その各事業年度の個別評価分の引当金繰入額
－
（合併法人等が引継ぎを受けた引当金戻入額または期中貸倒引当金戻入額 ＋ その各事業年度の個別評価分の引当金戻入額）〕× 12／左の各事業年度の月数を合計した数

分母：

その事業年度開始の日前3年以内に開始した各事業年度終了時における一括評価金銭債権の帳簿価額の合計額 ÷ 左の各事業年度の数

③　法定繰入率

(イ)　内　　容

中小法人（適用除外事業者（次の㋩の金額が15億円を超える法人等）に該当するものを除く），公益法人等または協同組合等（保険業法に規定する相互会社および外国相互会社を除く。以下，「中小法人等」という）に該当するものの一括評価金銭債権に係る貸倒引当金の計算については，法定繰入率と貸倒実績率との選択適用が認められます。

中小法人については，**1．**適用対象法人を参照してください。

㋑　事業年度開始の日前3年以内に終了した各事業年度（基準年度）の所得の金額の合計額

㋺　各基準年度の月数の合計数

㋩　㋑／㋺×12

(ロ) 繰入限度額

中小法人等は，貸倒実績率に代えて，次の法定繰入率の選択適用が認められています。

> （期末の一括評価金銭債権の帳簿価額 － 実質的に債権と認められない額）× 法定繰入率

(ハ) 法定繰入率

中小法人等の法定繰入率は，次のとおりです。

卸売および小売（飲食店業および料理店業含む）	$\frac{10}{1,000}$
製　造　業	$\frac{8}{1,000}$
金融および保険業	$\frac{3}{1,000}$
割賦販売小売業および割賦購入斡旋業	$\frac{13}{1,000}$
そ　の　他	$\frac{6}{1,000}$

第12節　欠　損　金

1．制度の概要

法人税法では，継続企業たる法人について一定の事業年度を定め，その事業年度内の益金の額から損金の額を控除した金額を所得金額とする事業年度単位課税方式を採用しています。したがって，ある事業年度に欠損金が生じた場合でもその欠損金は本来はその事業年度の欠損金であって他の事業年度の所得金額に影響を与えるものではありません。

しかし，法人の業績は継続した事業の流れの中で捉えられるべきものと考えられます。よって，法人税法においては，事業年度単位課税方式の例外として一定の要件のもとに事業年度間の所得金額を通算できる欠損金の繰越しと繰戻し還付制度を設けています。

2．青色申告書を提出した事業年度の欠損金の繰越し

(1) 概　　要

各事業年度開始の日前10年(注)以内に開始した事業年度で青色申告書を提出した事業年度に生じた欠損金（以下，「繰越欠損金」という）を各事業年度の所得の金額から控除することができる制度です。

(注) 平成30年３月31日以前に終了した事業年度において生じた欠損金額は９年

【例】３月決算法人の場合

欠損金の発生事業年度	繰越期間
平成30年３月期以前の事業年度	９年間
平成31年３月期以降の事業年度	10年間

(2) 繰越欠損金の控除限度額

各事業年度の所得の金額から控除することができる繰越欠損金の額は，その

事業年度の繰越欠損金控除前の所得金額に，以下の表の事業年度に応じてそれぞれの割合を乗じた額が限度となります。

ただし，中小法人等(注)については，このような限度額は設けられておらず，その事業年度の所得金額相当額の損金算入が認められます。

(注)　普通法人のうち，資本金の額が1億円以下のものをいいます。ただし，資本金の額が5億円以上である法人の100％子法人である法人等を除きます（第7章第2節3.(4)参照）。

事業年度	割合
平成28年4月1日から平成29年3月31日までの間に開始する事業年度	60%
平成29年4月1日から平成30年3月31日までの間に開始する事業年度	55%
平成30年4月1日以後に開始する事業年度	50%

(3)　繰越欠損金の控除要件

繰越欠損金をその後の事業年度において損金の額に算入するためには，青色申告書を提出した事業年度からその事業年度まで連続して確定申告書を提出していなければなりません。

＜具体例＞

甲社の状況は以下のとおりです。X年3月期において，X－4年3月期およびX－3年3月期に生じた欠損金額の合計額（2,000万円）を損金の額に算入することはできるでしょうか。

事業年度	所得金額	欠損金額	確定申告書の提出年月
X－4年3月期	—	1,000万円	X－4年5月
X－3年3月期	—	1,000万円	X－3年5月
X－2年3月期	0		未提出
X－1年3月期	0		未提出
X年3月期	3,000万円（繰越欠損金控除前）		X年5月

X年3月期に係る確定申告書の提出時において，X－2年3月期およびX－1年3月期に係る確定申告書は提出されておらず無申告であるため連続して確定申告書が提出されていないことになります。よって，青色申告書を提出した事業年度のX－4年3月期およびX－3年3月期に生じた欠損金額の合計額（2,000万円）をX年3月期において損金の額に算入することはできません。

(4) 繰越欠損金の控除方法

2以上の事業年度において繰越欠損金が生じている場合には，最も古い事業年度において生じた繰越欠損金から順次控除します。

＜具体例＞

設立以来，青色申告書を提出している甲社（資本金1億円超）の状況は以下のとおりです。X年3月期において，X－4年3月期およびX－3年3月期に生じた欠損金額の合計3,000万円はどういう順序で損金の額に算入するのでしょうか。

事業年度	所得金額	欠損金額	確定申告書の提出年月
X－4年3月期	—	1,000万円	X－4年5月
X－3年3月期	—	2,000万円	X－3年5月
X－2年3月期	0		X－2年5月
X－1年3月期	0		X－1年5月
X年3月期	3,000万円 （繰越欠損金控除前）		X年5月

X年3月期の所得金額から控除することができる繰越欠損金の控除限度額は，1,500万円（3,000万円×50%）となります。

したがって，まず，X－4年3月期に生じた欠損金額1,000万円全額を控除します。

次に，X－3年3月期に生じた欠損金額2,000万円のうち控除限度額までの500万円（1,500万円－1,000万円）を控除します。

3．欠損金の繰戻し還付

欠損金の繰戻し還付とは，欠損金額を欠損金が生じた事業年度（以下，「欠損事業年度」という）の開始の日前1年以内に開始したいずれかの事業年度（以下，「還付所得事業年度」という）の所得に充てることで，法人税の還付請求を行う制度のことです。還付請求できる金額は，以下のとおり計算します。

$$\text{還付所得事業年度の法人税額} \times \frac{\text{欠損事業年度の欠損金額}^{(注)}}{\text{還付所得事業年度の所得金額}} = \text{還付請求できる金額}$$

（注）　分母の金額が限度とされます。

中小企業者等以外は，平成4年4月1日から令和8年3月31日までの間に終了する各事業年度において生じた欠損金については，解散等一定の場合の事業年度において生じた欠損金額等を除き，欠損金の繰戻しによる還付制度の適用が停止されています。

ただし，災害により当該災害のあった日から同日以後1年を経過する日までの間に終了する事業年度等において生じた災害損失欠損金額がある場合には，中小企業者等以外も本制度の適用が可能となります。

この場合において欠損金額が生じた事業年度の確定申告書等が青色申告書であるときは，災害損失欠損金額が生じた事業年度開始の日前2年以内に開始したいずれかの事業年度の所得に災害損失欠損金額を充てることができます（災害損失欠損金額とは，災害により棚卸資産，固定資産または一定の繰延資産について生じた損失の額をいう）。

中小企業者等とは，各事業年度終了の時において資本金の額または出資金の額が1億円以下であるものをいい，資本金の額が5億円以上である法人の100％子法人等を除きます（第7章第2節3.⑷参照）。

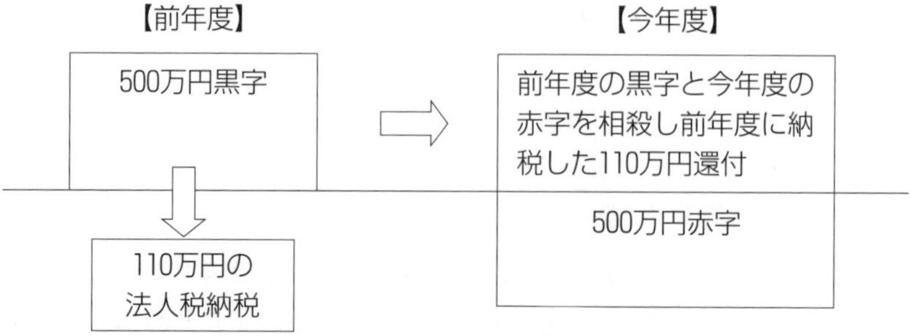

第13節　イノベーションボックス税制

近年のイノベーションの国際競争の激化により，民間のイノベーション投資の促進が政策的な課題となっています。そこで，研究開発のアウトプットへの優遇税制として，知的財産権の譲渡・貸付けから得られた所得の一部を損金の額に算入する，イノベーションボックス税制が創設されます。より具体的には，青色申告書を提出する法人が，令和７年４月１日から令和14年３月31日までの間に開始する各事業年度に特許権等の譲渡または貸付けを行った場合，その譲渡または貸付けに係る一定の所得金額（当期の所得金額が上限）の30％を損金算入することができることとされます。

『第５章』

税額計算，申告，納付

第１節　法人税額の計算の仕組み

法人税の金額はどのように計算するのか，その仕組みをみていきます。

まず会計上の利益を調整して，税務上の利益である「所得金額」を計算します。

この所得金額に税率を乗じて基本の税額を算出します（1. 所得金額×税率）。

税率は資本金の大小，法人の形態によって異なります。

続いて上記１．に，２．特別な税金をプラスし，３．控除可能な金額を差し引き，そこから中間申告により納付した税額を引いて，納めるべき法人税額を計算します。

（1. 所得金額 × 税率 ）＋ 2. 特別な税金 － 3. 控除金額 － 中間納付額
＝ 納めるべき税金

1．税　　　率

所得金額にかける税率は，以下のとおりです。

<table>
<tr><th>分　類</th><th colspan="2">区　　分</th><th>税　率</th></tr>
<tr><td rowspan="2">中小法人[注1]</td><td rowspan="2">資本金1億円以下の法人
資本金を有しない法人
（相互会社を除く）
人格のない社団等</td><td>年800万円以下の所得からなる部分</td><td>15%[注2]</td></tr>
<tr><td>年800万円超の所得からなる部分</td><td rowspan="2">23.2%</td></tr>
<tr><td>大 法 人</td><td colspan="2">資本金1億円超の法人
相互会社
受託法人</td></tr>
</table>

中小法人の場合，年800万円以下の所得には低い税率が適用されますが，年800万円超の所得には，大法人と同じ税率が適用されます。

(注1)　資本金の額が5億円以上の法人により100%所有されている子法人等は，中小法人には該当せず，大法人に分類されます（第7章第2節3.⑷参照）。

(注2)　平成31年4月1日以後に開始する事業年度について，適用除外事業者（第4章第11節1.⑵③参照）に該当する場合には，年800万円以下の所得に対して適用される税率は19%とされます。

(注3)　令和7年4月1日以後に開始する事業年度については19%が適用されます。

2．特別な税金

特別な税金には次のようなものがあります。

①　特定同族会社の留保金課税

②　使途秘匿金課税

3．控除金額

控除することが認められている金額には次のようなものがあります。

① 所得税額控除

② 試験研究費等に係る税額控除

③ 投資税額控除

税金計算の仕組み

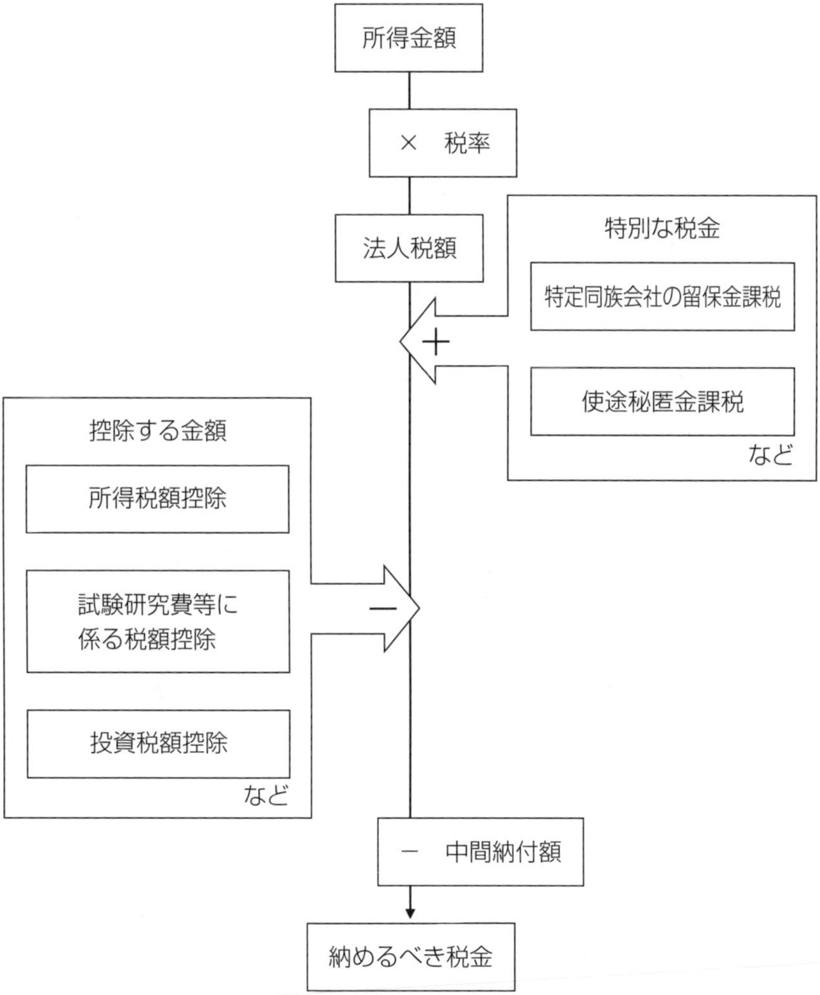

第2節　特定同族会社の留保金課税

法人の中には，社長やその一族などで株式を所有し，経営している法人があります。このような法人を法人税では「同族会社」といいます。

法人税では同族会社に対して特別な規定を置いています。なぜ同族会社を特別扱いするのでしょうか。

同族会社は，少数の株主等が多くの株式等を所有しているので，法人の経営を支配することができます。上場会社は，多数の株主が株式を所有しているため，一部の株主のみの意向により経営を支配することは事実上できません。

普通の法人では，ある程度の利益があれば株主等に配当金を支払います。もし多額の利益のある法人がまったく配当をしないで会社内部に利益を留保し続けたとしたら株主等はそれを認めるでしょうか。普通の法人の株主等は，配当金を得ることを目的のひとつとして株式等を所有していますから認めないでしょう。

ところが，同族会社は社長一族など限られた株主等が多数の議決権を持っているので，「配当なし，全額社内留保」という決定をすることができます。その結果，どのような問題が起こるでしょうか。

利益が配当されれば，配当を受け取った株主等の個人に所得税が課税されます。個人所得税は，所得が多いほど高い税率を課す累進課税で，最高税率は45%です。また住民税も合算した場合の最高税率は55%になります。

法人の経営支配権を握っている同族会社の株主等であれば，配当をして個人で高い所得税を払うよりも，法人の内部に留保して個人の所得税の納税を免れようとするかもしれません。これでは同族会社の株主等と，配当を行う普通の法人の株主等やすべての所得に課税される個人営業主とでは，税負担に不公平が生じます。

そこで法人税では，同族会社の内部に留保された金額，すなわち同族会社の留保金のうち，一定の限度額を超える部分に特別の税を課して税負担の公平を図ろうとしています。

1．留保金課税の対象となる同族会社の判定

留保金課税の対象となる同族会社（特定同族会社）とは，資本金の額または出資金の額が1億円を超える会社(注)のうち，ある一定の被支配会社をいいます。被支配会社とは，ある株主とその株主と特別な関係のある個人や法人を1グループとしたとき，そのグループが以下のいずれかの条件を満たしている会社をいいます（なお，所有する株式等が50％を超えるかどうかを判定する際には，発行済株式の総数や出資金額から，その会社が所有する自己の株式や出資を除く）。

(注)　資本金の額が5億円以上の法人により100％所有されている子法人等は，条件を満たした場合，留保金課税の対象となります（第7章第2節3.(4)参照）。

①　会社の発行済株式等の総数（または総額）の50％超を有している。

②　会社の重要事項に関する議決権の50％超を有している。

③　会社の株主等（合名会社，合資会社または合同会社の社員に限る）の総数の50％超を占めている。

株主と特殊な関係のある個人や法人とは，以下のいずれかの条件に該当する個人や法人をいいます。

1．株主等の親族

2．株主等と婚姻の届出をしていないが事実上婚姻関係と同様の事情にある者

3．株主等（個人である株主等に限る）の使用人

4．株主等から受ける金銭その他の資産によって生計を維持しているもの

5．2～4に掲げる者と生計を一にするこれらの者の親族

6．株主等が支配している(注)他の会社

7．株主等と6の会社が支配している(注)他の会社

8．株主等と6・7の会社が支配している(注)他の会社

(注) 「支配している」とは，上記①〜③のいずれかに該当する場合をいいます。

株主等に被支配会社でない法人がある場合には，注意が必要です。その被支配会社でない法人の持っている株式を入れて特定同族会社の判定をすると50%超となり，それを入れないで判定すると50%以下となる会社は，留保金課税の対象にはなりません。

2．留保金課税

特定同族会社の留保金の課税金額は，次のとおり計算されます。

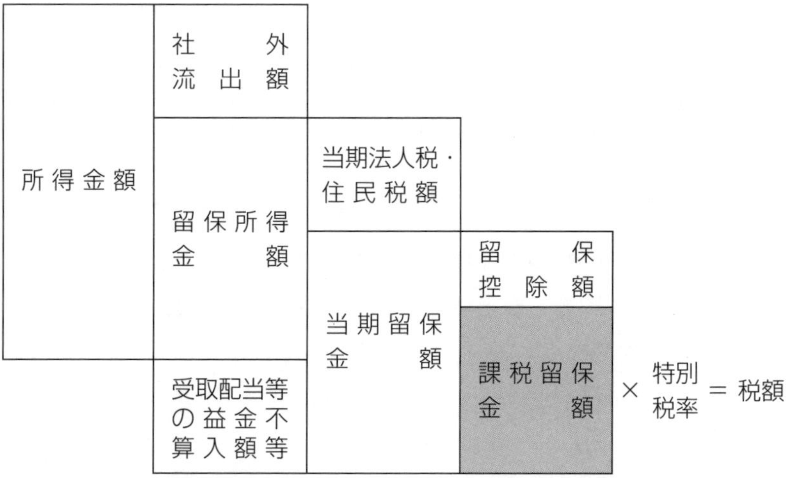

(1) 当期留保金額の計算

当期留保金額とは，所得金額のうち内部に留保した金額をいいます。

つまり当期の所得金額から，支払配当金，役員賞与金の損金不算入額，交際費の損金不算入額や，当期の法人税・住民税などをマイナスし，さらに受取配当等の益金不算入額などをプラスして計算します。

(2) 課税留保金額および留保控除額の計算

課税留保金額とは，当期留保金額から留保控除額を控除した残額をいいます。

特定同族会社の留保金課税は，内部に留保された金額のうち，留保控除額という一定の限度額を超えた金額に対して課税するものです。

課税留保金額　＝　当期留保金額　－　留保控除額(注)

(注)　留保控除額（次の基準額のうち最も多い金額）

①　所得基準額＝所得等*の金額×40%

②　定額基準額＝2,000万円×事業年度の月数／12

③　積立金基準額＝期末の資本金または出資金の額×25／100－利益積立金額

＊　所得等…所得金額＋受取配当等の益金不算入額等

(3)　税額の計算

特定同族会社の留保金に対する税額は，課税留保金額に下記の税率を乗じて計算します。

特定同族会社の留保金課税額　＝　課税留保金額　×　税率

課税留保金額	税　率
年3,000万円以下の部分	10%
年3,000万円を超え１億円以下の部分	15%
年１億円を超える部分	20%

第３節　使途秘匿金課税

法人税では，交際費や接待費等の名目で支出した金銭でその使途が明らかになっていないもの，すなわち使途秘匿金に特別な税金を課しています。

法人がその使途を明らかにせず秘匿するような支出は，違法ないし不当な支出につながりやすく，それが公正な取引を阻害することにもなるので，そのような支出を極力抑制する見地から，特別に税金を課すこととされたものです。

法人が使途秘匿金の支出を行った場合には，通常の法人税に加えて，その使途秘匿金の支出額40％相当の法人税を課税する制度が設けられています。

使途秘匿金に対する課税は，赤字の法人であっても行われます。

1．使途秘匿金の意義

使途秘匿金とは，法人がした金銭の支出（贈与，供与その他これらに類する目的のためにする金銭以外の資産の引渡しを含む）のうち，その相手方の氏名（または名称）および住所（または所在地）ならびにその事由をその帳簿書類に記載していないものをいいます。

2．帳簿書類の記載の判定時期

相手方の氏名等を帳簿書類に記載しているかどうかの判定時期は，原則としてその支出事業年度終了の日ですが，確定申告書の提出期限の時においてその記載があればよいとされています。

第4節　税額控除

1．所得税額の控除

法人でも，預金の利子や株式の配当の支払いを受けるとき，源泉所得税を差し引かれます（なお，利子については，源泉所得税15％（平成25年1月1日から令和19年12月31日の間に支払いを受けるべき利子については，復興特別所得税が課されるため15.315％）が差し引かれる）。法人に所得税はかからないので本来は還付されるべきものともいえますが，税法では法人税を前払いしたものと捉えています。法人税の前払いですから，計算された法人税からこの源泉所得税をマイナスすることになります。

これを，所得税額控除といいます。

預金の利子に対する源泉所得税は，その全額を法人税額から控除することができます。

しかし，株式の配当に対する源泉所得税は，法人がその株式を持っていた期間に相当する金額だけが控除の対象となります。配当の額は，株式を元本として計算されますが，その元本となる株式は譲渡することができます。このことを利用して租税回避が行われないよう，租税回避防止のために創られた規定です。

所有期間に相当する額の所得税は，原則として次の算式により計算します。

$$\text{配当の源泉所得税} \times \frac{\text{分母の期間のうち，元本を所有していた期間の月数}}{\text{配当の計算期間の月数}}$$

法人が株式を所有していない期間に相当する源泉所得税は，法人税額から控除されませんが，法人税を計算する際には損金に算入されます。

納付すべき法人税額より所得税額の控除金額の方が大きいため（納付すべき法人税額＜所得税額の控除金額），納付すべき法人税額より控除できなかった源泉所得税は，法人税の納めすぎになるので，その事業年度の申告により還付を受けることができます。

なお，令和５年10月１日以後に支払いを受けるべき配当等で，完全子法人株式等（株式等保有割合100％）および発行済株式等の３分の１超の株式等を直接に保有する会社からの配当等については，源泉徴収はされないこととなります。

２．研究開発税制

法人は，技術開発などの試験研究にかなりの経費をかけています。しかし不景気になると，成功するか否かもわからない試験研究費に予算を割けなくなり，技術の進歩が停滞する危険性があります。国にとっても，国内の法人の技術が進歩し，国内産業が成長することは重要です。そこで法人税は，青色申告をしている法人が試験研究に多くの費用を使った場合，税務の面からこれを支援するために試験研究費等に係る税額控除の制度を設けています。ここでいう試験研究費等には，試験研究するための原材料費・人件費・経費，委託による試験研究費などが含まれ，その範囲はかなり広いものとなっています。

試験研究費等に係る税額控除の制度は，平成29年４月１日以後に開始する事業年度において適用され，最大で法人税額の45％までの控除が可能です。

3．中小企業投資促進税制

ものづくり基盤技術を担う企業をはじめとして，意欲ある中小企業の設備投資を促進するため，法人税ではいくつかの優遇措置を設けています。この機械等の取得に係る税額控除もそのひとつです。

青色申告をしている特定の中小企業者等が令和７年３月31日までに一定の機械等を取得等し，一定の事業の用に供した場合には，その取得価額の７％に相当する額を，法人税の額から控除することができます。

4．中小企業経営強化税制

厳しい経営環境にある中小企業者等の生産性および経営力の向上を図る目的で，青色申告書を提出している中小企業者等が，平成29年４月１日から令和７年３月31日までの間に一定規模以上の設備等を取得等し，一定の事業の用に供した場合には，その取得価額の７～10％に相当する額を，法人税の額から控除することができる制度が設けられています。

なお，本制度の適用を受けるためには，経営力向上計画を作成し，経済産業局の認定を受ける等の手続きが必要です。

5．賃上げ・生産性向上のための税制，所得拡大促進税制

企業から個人への給与等の支給額の増加を促し，消費を刺激して経済を活性化させるため，青色申告書を提出する法人が，給与等の支給額を増加し一定の要件を満たす場合には，その増加額の10～30％に相当する額を法人税の額から控除することができます。さらに，適用年度の教育訓練費の額が前期以上となる等の要件を満たした場合や，子育てと仕事の両立支援や女性活躍推進の取組みについて厚生労働大臣の認定（くるみん認定，えるぼし認定など）を受けた場合には税額控除割合が増加します。なお，賃上げを実施した事業年度において控除できなかった金額は，５年間繰越しが可能で，その繰越す事業年度の給与等

の支給額が前年度の給与等の支給額を超える場合に控除できます。この制度は，平成30年4月1日から令和9年3月31日までの間に開始する各事業年度について適用があります。

ただし，大企業や中堅企業など資本金10億円以上かつ常時使用従業員数1,000人以上の企業や常時使用従業員数2,000人超の大企業がこの制度の適用を受けるためには，従業員や取引先などのマルチステークホルダーへの配慮についての方針（賃上げに関するものも含む）の公表が必要です。

資本金 / 従業員数	～1,000人未満	1,000人～2,000人以下	2,000人超～
10億円以上～	中堅企業(注1)（資本金1億円超のうち，従業員数2,000人以下の法人）		大企業
1億円超～10億円未満			
～1億円以下	中小企業(注2)		

(注1)　従業員数2,000人以下の法人のうち，その法人が発行済株式等の50％超を保有している法人等と合わせて，常時使用する従業員数の合計数が10,000人を超える法人は中堅企業には該当せず，大企業に分類されます。

(注2)　適用除外事業者（前3年間の年間平均所得金額が15億円超である法人），みなし大企業（発行済株式等の2分の1以上を同一の大規模法人に所有されている法人等）を除きます。

6．地域未来投資促進税制

青色申告書を提出する一定の事業者が，平成29年7月31日から令和7年3月31日までの間に，一定の区域内において承認地域経済牽引事業計画に従って一定の施設等を新設や増設する場合において，一定の設備を取得等し，事業の用に供した場合には，その取得価額の2～6％に相当する額を，法人税の額から控除することができる制度が設けられています。

7．５G導入促進税制

第５世代移動通信システム（５G）情報通信インフラの早期かつ集中的な整備を目的として，青色申告書を提出している法人が，令和２年８月31日から令和７年３月31日までの間に，認定導入計画に基づき特定高度情報通信用認定等設備の取得等をし，国内にある事業の用に供した場合には，その取得価額の15％に相当する額を法人税の額から控除することができる制度が設けられています。

8．デジタルトランスフォーメーション（DX）投資促進税制

デジタル環境の変化に対応した事業変革デジタル投資を促進するため，産業競争力強化法の改正により創設される「事業適応計画」に従って導入されたソフトウェア等に係る投資について，令和３年８月２日から令和７年３月31日までの間に情報技術事業適応設備の取得等をして，国内にある事業の用に供した場合には，その取得価額の３％または５％に相当する額を法人税額から控除できる制度が設けられています。

なお，下記**9．**カーボンニュートラルに向けた投資促進税制の税額控除との合計で法人税額の20％が限度となります。

9．カーボンニュートラルに向けた投資促進税制

世界各国で脱炭素化に向けた動きが拡大・加速している現状を税制からも後押しするため，産業競争力強化法に規定する「エネルギー利用環境負荷低減事業適応計画」の認定を受けた青色申告書を提出する法人が，令和３年８月２日から令和８年３月31日までの間に同計画に従って導入される一定の設備の取得等をし，国内にある事業の用に供した場合には，その取得価額の５～14％または10％に相当する額を法人税額から控除できる制度が設けられています。

なお，上記**8．**デジタルトランスフォーメーション（DX）投資促進税制の税額控除との合計で法人税額の20％が限度となります。

10. 大企業の税額控除適用要件

所得が増加しているにもかかわらず，生産性向上のための設備投資や人材投資をほとんど行っていない大企業については，平成30年４月１日から令和９年３月31日までの間に開始する各事業年度において，**2.** 研究開発税制，**6.** 地域未来投資促進税制，**7.** ５Ｇ導入促進税制，**8.** デジタルトランスフォーメーション（DX）投資促進税制，**9.** カーボンニュートラルに向けた投資促進税制の税額控除の規定は適用できません。具体的には，①当期の所得が前期の所得以下，②当期の給与の支給額が前期の給与の支給額を超えている，③当期の設備投資額が減価償却費の40％を超えている，のいずれにも該当しない大企業については，上記税額控除が適用されません。

なお，大企業の中でも資本金10億円以上かつ常時使用従業員数1,000人以上の企業や常時使用従業員数2,000人超の企業で前事業年度の所得が０円を超えるときは，上記②給与支給額の要件が強化されます。

11. 税額控除の限度額

上記**2.** ～**9.** までの税額控除の制度のうち，適用できる制度の税額控除額を合計するとその事業年度の法人税額を超える場合があります。その場合には，その事業年度の法人税額の90％が限度となり，それを超える額はその事業年度の法人税額から控除できません。

なお，控除できなかった金額のうち，制度によっては翌期以降に繰り越すことができます。

第５節　外国税額の控除

海外で仕事を行った場合，それぞれの国の法律によって課税されます。同じ仕事から得た利益について，日本国内でも課税すると結果として二重課税になるので，この外国税額を控除する計算が認められています。ただし無制限に外国税額の控除を認めると，制度を悪用し，税率の高い国と低い国への投資を組み合わせて租税回避を図る恐れがあるので，外国税額の控除には一定の限度額を設けています。

第6節　申告および納付

法人は，決められた期間内に申告書を作成して税額を計算し，納付をしなければなりません。

法人税の申告には，確定申告と中間申告があります。

法人は，原則として事業年度終了の日の翌日から2か月以内に，納税地の所轄の税務署長に対し，確定した決算に基づき所定事項を記載した確定申告書を提出し，法人税を納めなければなりません。これを確定申告といいます。

また事業年度が6か月を超える法人は，原則として，前事業年度の税額を基にした予定申告，または仮決算による中間申告をしなければなりません。これを中間申告といいます。

申告期限内であれば，一度提出した申告書でもその差換えをすることができます。

期限を過ぎて申告書を提出した場合には，罰金や，各種の控除・免税措置の適用が受けられなくなる等ペナルティがあります。

1．確定申告

確定申告書は，株主総会の承認を受けた決算に基づいて作成された申告書です。

(1)　申告期限

①　原　　則

確定申告書の提出期限は，原則として，事業年度終了の日の翌日から2か月以内です(注)。3月決算法人であれば，事業年度終了の日は3月末日ですから，確定申告書の提出期限は5月末日になります。

(注)　申告期限は以下のように読み替えられます。

・土曜日，日曜日，国民の祝日その他一般の休日
　→これらの日の翌日
・12月29日から31日までの日
　→翌年の１月４日（１月４日が日曜日なら５日，土曜日なら６日）

②　申告期限の延長

災害や会計監査人の監査を受けなければならない等の理由により，期限までに申告ができない場合には，納税地の所轄税務署長に申請することにより提出期限を延長することができます。

延長が認められるケース	延長期間
災害その他やむを得ない理由がある場合	税務署長が指定する期間
会計監査人の監査により２か月以内に定時総会が招集されない場合	１か月（注）

（注）　会計監査人設置会社で事業年度終了後３か月以内に定時総会が招集されない場合には，４か月を超えない範囲内で税務署長が指定する期間の延長が可能です。

(2)　確定申告書の構成内容

確定申告書には，必要事項を記載した確定申告書に，貸借対照表や損益計算書，株主資本等変動計算書などを添付しなければなりません。

2．中間申告

事業年度が６か月を超える法人は，原則として，事業年度を開始した日より６か月を経過した日から２か月以内に，中間申告をしなければなりません。

中間申告には次の２つの方法があり，いずれかを選択することができます。

①　予定申告……前事業年度の法人税の６か月換算額で申告する方法

②　仮決算による中間申告……期首から６か月間を１事業年度とみなして仮決算を行い，申告する方法

予定申告の場合，法人税額が10万円以下となるとき，すなわち前事業年度の法人税額が20万円以下だったときには，申告をする必要はありません。

中間申告が期限までに提出されなかったときは，前事業年度の実績による中間申告，すなわち予定申告があったものとみなされます。

なお，次のいずれかに該当する場合には仮決算による中間申告はできません。

⑴　前事業年度の法人税額の６か月換算額　≦　10万円

⑵　仮決算により算出した法人税額　＞　前事業年度の法人税額の６か月換算額

法人税額の計算方法は次によります。

①　予定申告 ＝ 前事業年度の法人税額 ÷ 前事業年度の月数 × 6

②　仮決算による中間申告 ＝ 仮決算により算出した法人税額

３．納　期　限

法人税は，申告書の提出期限までに納めなければなりません。

したがって，確定申告書による法人税は，事業年度終了の日の翌日から２か月以内に納めなければなりません。３月決算法人であれば，３月末日に事業年度が終了しますから，その２か月後である５月末日までに法人税を納付しなければなりません。

法人税の納期限，すなわち申告書の提出期限から遅れて法人税を納付した場合，その遅れた期間に応じて延滞税というペナルティを支払います。延滞税はペナルティですから，法人税を計算するうえで損金になりません。

また，監査等のため申告期限を延長している会社は，延長した申告書の提出期限が納期限となります。

この場合，延長した期間については，利子税という利息のような性質のものを支払わなければなりません。利子税を支払いたくない場合，事業年度終了の日の翌日から２か月以内に見込額を納めてもかまいません。もし，この見込額が確定した税額より少なかった場合は，少なかった金額に対して利子税を支払うことになります。利子税は，申告期限の延長を認められた場合に発生する利息と同じ性質のものなので，借入金に対する利息と同様，法人税の計算上は損金に算入します。なお，災害により申告期限を延長した場合には，利子税はかかりません。

中間申告書による法人税の納期限も同様ですから，期首から6か月を経過した日から2か月以内に納めることになります。3月決算法人の場合，6か月を経過する9月末日から2か月以内，すなわち11月末日が納期限になります。

4．修正申告・更正の請求

法人税の申告書に間違いがあった場合，申告書を訂正する必要があります。申告書を訂正した結果，税額が増えるか，減少するかによりその手続きは異なります。

税額を少なく申告してしまい訂正した結果，税額が増える場合は，税務署長が更正などの処分をする前であれば，修正申告をすることができます。

税額を多く申告してしまい訂正した結果，税額が減少する場合は，税金を減らす更正（減額更正）をしてくれるように請求することができます。これを更正の請求といいます。

(1)　修 正 申 告

申告書を提出した後で，①税額が少なかった，②欠損金額が過大であった，③還付金が多すぎた，といった場合，すなわち申告書に誤りがあり，税額が増える場合には，税務署長による更正があるまで修正申告書を提出することができます。

(2)　更正の請求

申告書を提出した後で，①税額が多すぎた，②還付金が少なかった，といった場合，すなわち申告書に誤りがあり，税額が減少する場合には，納税地の所轄税務署長に対し更正の請求をすることができます。請求できる期限は，原則として法定申告期限から5年間です。

5．電 子 申 告

経済社会のICT化等が進展する中，税務手続においてもICTの活用を推進するため，紙媒体での提出に代えて，国税電子申告システム（e-Tax）により申告書等を提出することができます。これにより，納税者が税務署に赴くことや申告書を送付することなく国税関係手続を行うことが可能になるなど，納税者の利便性が向上し，社会全体のコスト削減ならびに企業の生産性も向上します。

電子申告は，希望する任意の法人が利用できますが，令和２年４月１日以後に開始する事業年度から，資本金の額が１億円を超える法人等一定の法人が行う法人税，消費税等の申告は，電子申告により提出しなければならないこととされました（電子申告の義務化）。

第７節　地方法人税

地域間の税収，財政力には格差があり，今後その格差は益々拡大することが予想されます。そこで，地域間の格差縮小を図るため，法人住民税法人税割の一部を地方法人税として国が一度徴収し，税収，財政力の低い地方へ配分する制度が平成26年10月１日以後に開始する事業年度から導入されました。地方法人税の創設と同時に，地方法人税に相当する分，法人住民税法人税割の税率が引き下げられたため，法人のトータルの税負担は変わっていません。

1．課税対象法人および課税標準

法人税の納税義務者が地方法人税の課税対象法人となり，各事業年度の基準法人税額（注）が課税標準となります。

（注） 基準法人税額とは，所得税額控除等を適用する前の各事業年度の所得に対する法人税の額をいいます。

2．税額の計算方法

(1)　税額の計算

地方法人税は，基準法人税額に下記の税率を乗じて算出します。

地方法人税　＝　基準法人税額　× 10.3%

(2) 申告および納付

地方法人税の申告・納付は，国（税務署）に対して行います。

通常の法人税とは別の申告書（各課税事業年度の地方法人税に係る申告書）を納税地の所轄の税務署長に提出します。申告期限，納期限は通常の法人税と同様です。

『第6章』

地方税の計算

第1節　事業税

1．外形標準課税の適用がない所得課税法人

(1)　課税対象法人および課税標準

外形標準課税の対象とはならない期末の資本金または出資金額が1億円以下の普通法人，公益法人等，特別法人，人格のない社団等，投資法人および特定目的会社で事業を行うものは，各事業年度の所得に対して，事業税が課されます。

なお，この各事業年度の所得に対して課される事業税を，所得割といいます。

(2)　所得割の計算方法

所得割は，次の算式により計算した所得割の課税標準に対して，次の税率を乗じて算出した税額をいいます。

所得割の課税標準	＝	法人税の所得金額(注)	±	特別の定め	－	外国の事業に帰属する所得	－	(1)繰越欠損金額または繰越個別欠損金額 (2)繰戻還付の計算の基礎となった欠損金額

（注）　法人税別表4総計の金額

所得割の税率

所得金額	標準税率
年400万円以下の金額	3.5%
年400万円超～800万円以下の金額	5.3%
年800万円超の金額	7.0%

ただし，資本金1,000万円以上で３つ以上の都道府県に事務所または事業所を有する法人は，所得金額にかかわらず，7.0%（標準税率）の税率が適用されます。

（注） 外形標準課税対象法人，信用金庫，医療法人等の特別法人を除きます。

①　所得の算定原則

法人事業税の課税標準となる所得金額は，地方税法等で特別の定めをしている場合を除き，すべて法人税の課税標準である所得と同様の計算方法によって算定されます。

②　地方税法等における特別の定め

法人税法と同様の計算方法によらないものとして，地方税法等で特別に定められているものには，次のものがあります。

特別の定め	特別の定めの内容
前10年以内(注1)に生じた欠損金額または個別欠損金額	この欠損金は，各事業年度の法人事業税の所得の計算上，損金の額に算入します。
欠損金の繰戻還付がないことに伴う繰越欠損金の損金算入の特例	法人事業税においては，欠損金の繰戻還付制度がありません。したがって，法人税において繰戻還付制度を適用した場合に法人事業税の所得金額に影響を及ぼさないようにするため，繰戻還付金の算定の基礎となった欠損金額を法人事業税の所得の金額の計算上，損金の額に算入します。
医療法人等の社会保険診療報酬に係る所得の課税除外	医療法人等の社会保険診療報酬に係る収入金額，経費は，益金の額，損金の額に算入しないものとされています。
所得税額の損金不算入	所得税法の規定により課された所得税のうち，法人税法上の所得税額控除等の適用を受けないものについては，損金の額に算入しないものとされています。
寄附金の損金算入限度額の調整	所得計算の簡素化のため，法人税法における寄附金の損金算入限度額とされた額が，法人事業税においても寄附金の損金算入限度額となります。
内国法人の外国法人税額の損金等の算入	外国で課された法人税額のうち，当該法人の外国において行う事業に帰属する所得以外の所得に対して課されたものは，損金の額に算入します。

(注１)　平成30年３月31日以前に開始する各事業年度に発生した欠損金額または個別欠損金額については「前９年以内」となります。

(注２)　このほか，残余財産確定日の属する事業年度に係る事業税の損金不算入，外国の資源開発事業に係る海外投資等損失準備金制度の不適用があります。

③　外国において事業を行う特定内国法人の所得の算定方法

特定内国法人（内国法人で外国に事業所等を有する法人等をいう）の所得割の課税標準となる所得は，次の区分に応じ，それぞれ次の金額となります。

国外所得を区分して計算する場合	所得総額 － 国外所得
国外所得を区分して計算することが困難な場合	所得総額 － 所得総額 × $\dfrac{\text{当該法人の外国の事務所または事業所の従業者数}}{\text{当該法人の総従業者数}}$

2．外形標準課税が適用になる所得課税法人

(1)　課税対象法人

①　現行の基準

期末資本金額が１億円を超える普通法人が，外形標準課税の対象となります。なお，公益法人等，特別法人，人格のない社団等，投資法人および特定目的会社については，外形標準課税の対象から除かれています。

②　令和７年４月１日以降の追加基準

実質的な大規模法人が，期末資本金額が１億円以下となるように資本金から資本剰余金へ項目振替による減資を行うことや，事業部門分社化の際に子会社の資本金を１億円以下にすることで，外形標準課税の対象外となる事例が問題視されていました。

そこで外形標準課税の対象法人には上記①の現行の基準に加えて，追加基準が設けられます。

(イ)　令和７年４月１日以後に開始する事業年度

前事業年度において外形標準課税の対象法人であった法人については，期末資本金額が１億円以下であっても，資本金と資本剰余金の合計額が10億円を超えるものは，外形標準課税の対象となります。

(ロ) 令和8年4月1日以後に開始する事業年度

資本金と資本剰余金の合計額が50億円を超える法人(注1)の100％子法人等については，期末資本金額が1億円以下であっても，資本金と資本剰余金の合計額が2億円を超えるものは，外形標準課税の対象となります。

(注1) 外形標準課税の対象外となっている法人を除きます。

(2) 課税標準

外形標準課税対象法人に対しては，所得割，付加価値割，資本割の3つの事業税が課されます。課税標準は，それぞれ次のとおりです。

事業税額	＝	所得割	＋	付加価値割	＋	資本割
		↓		↓		↓
課税標準		所得金額		付加価値額		「期末資本金等の額」または「期末資本金＋資本準備金」のいずれか大きい金額

(3) 所得割の算定方法

所得割の課税標準となる所得の算定方法は，外形標準課税の適用がない場合と同様ですが，その所得に適用する税率については，1.0％（標準税率）になります。

(4) 付加価値割の算定方法

付加価値割の算定方法は，次のとおりです。

付加価値割 ＝ 付加価値額 × 1.2％(注)

(注) 標準税率をいいます。

付加価値額 ＝ 収益配分額 ＋ 単年度損益 （－ 雇用安定控除 － 雇用者給与等支給増加額）

収益配分額 ＝ 報酬給与額 ＋ 純支払利子 ＋ 純支払賃借料

単年度損益(注1) ＝ 法人税の課税標準である各事業年度の所得 ± 事業税の特別の定め(注2) ＋ 繰越欠損金の当期控除額

(注1) 単年度損失が生じた場合には，収益配分額から単年度損失を控除します。
(注2) 1.⑵②の特別の定めとほとんど同じですが，一部異なる定めがあります。

① 報酬給与額

報酬給与額は，各事業年度の損金の額に算入される次の金額の合計額をいいます。

報酬給与額 ＝ 法人が各事業年度においてその役員または使用人に対する報酬，給料その他これらの性質を有する給与として支出する金額の合計額 ＋ 法人が各事業年度において確定給付企業年金に係る契約に基づいてその役員または使用人のために支出する一定の掛金等の金額の合計額

＜労働者派遣の場合の取扱い＞

労働者派遣契約に基づき労働者派遣の役務の提供を受け，または労働者派遣をした場合には，次の法人の区分に応じ，それぞれの金額をもって報酬給与額となります。

⑴ 労働者派遣の役務の提供を受けた法人

上記報酬給与額 ＋ 各事業年度において労働者派遣をした者に支払う金額で損金の額に算入されるもの × 75%

⑵ 労働者を派遣した法人

上記報酬給与額 － 各事業年度において労働者派遣の役務の提供を受けた者から支払いを受けた金額で益金の額に算入されるもの × 75%（労働派遣者に支払う給与の額を限度とする）

②　純支払利子

純支払利子の額は，各事業年度の支払利子の合計額から各事業年度の受取利子の合計額を控除した金額によります。なお，次の金額の合計額がマイナスとなるときは，純支払利子はゼロとなります。

純支払利子	＝	各事業年度の損金の額に算入される支払利子の額の合計額	－	各事業年度の益金の額に算入される受取利子の額の合計額

③　純支払賃借料

純支払賃借料の額は，各事業年度の支払賃借料の合計額から各事業年度の受取賃借料の合計額を控除した金額によります。なお，次の金額の合計額がマイナスとなるときは，純支払賃借料はゼロとなります。

純支払賃借料	＝	各事業年度の損金の額に算入される支払賃借料の額の合計額	－	各事業年度の益金の額に算入される受取賃借料の額の合計額

④　雇用安定控除

報酬給与額が，収益配分額（報酬給与額＋純支払利子＋純支払賃借料）の70％相当額を超えるときは，次の金額を付加価値額から控除します。

雇用安定控除額	＝	報酬給与額	－	収益配分額 × 70%

⑤　雇用者給与等支給増加額（賃上げ税制）

令和4年4月1日から令和9年3月31日までの間に開始する各事業年度（設立事業年度，解散事業年度，清算中の各事業年度を除く）について，下記の適用要件を満たすときは，次の金額を付加価値額から控除します。

控除額 ＝ 控除対象雇用者給与等支給増加額※ × （報酬給与額－雇用安定控除額） ÷ 報酬給与額

※控除対象雇用者給与等支給増加額 ＝ 適用事業年度における雇用者給与等支給額 － 前事業年度における雇用者給与等支給額 （令和４年４月１日以後に開始する事業年度）

開始事業年度	適用要件
令和４年 ４月１日以後	適用事業年度における継続雇用者(注1)に対する給与等の支給額が前事業年度の継続雇用者に対する給与等の支給額より３％以上増加していること
令和７年 ４月１日以後	＜中小企業者等＞ 中小企業者等が，適用事業年度における雇用者給与等支給額が前事業年度の雇用者給与等支給額より1.5％ 以上増加していること

(注１) 継続雇用者とは，適用事業年度とその前事業年度のすべての期間の各月に，給与等の支給を受けた国内雇用者をいいます。

(注２) 継続雇用者に対する給与等の支給額については，継続雇用者に対する給与等の支給額から控除する他の者から支払いを受ける金額のうち，雇用安定助成金額を控除しない金額となります。

(5) 資本割の算定方法

資本割の算定方法は，次のとおりです。

資本割 ＝ 資本金等の額※ ×０.５％(注1)

※資本金等の額＝ 期末資本金等の額 または 期末時の資本金＋資本準備金 のいずれか大きい金額

(注１) 標準税率をいいます。

(注２) 事業年度が１年に満たない場合は，資本金等の額は月割りによって算定します。

(注３) 清算中の法人については，資本金等の額はないものとみなされます。

なお，期末資本金等の額は，各事業年度終了の時における資本金等の額に以下の調整を加えた金額です。

＜無償減資等を行っている場合＞

欠損てん補のために無償減資等を行った場合，資本金等の額から損失の補填に充てた金額（損失の補填に充てた日以前１年間に剰余金計上した金額に限る）を控除します。

＜無償増資等を行っている場合＞

利益を資本に組み入れる無償増資等を行った場合，資本金等の額に無償増資等の金額を加算します。

①　持株会社に係る課税標準の特例

持株会社（次の割合Ａが50％超の法人）については，当該資本金等の額に次の割合（総資産の帳簿価額に占める子会社株式の割合）を乗じて計算した金額を，課税標準である資本金等の額から控除することができます。

$$A = \frac{\text{当該事業年度終了時の特定子会社}^{\text{(注1)}}\text{の株式等の帳簿価額} + \text{前事業年度終了時の特定子会社の株式等の帳簿価額}}{\text{当該事業年度終了時の総資産価額}^{\text{(注2)}} + \text{前事業年度終了時の総資産価額}}$$

(注１)　特定子会社とは，持株会社に発行済株式等の50％超の株式等を直接または間接に保有されるものをいいます。
(注２)　総資産価額は貸借対照表の総資産の帳簿価額から特定子会社に対する貸付金等を差し引いた金額をいいます。

②　資本金等の額が1,000億円を超える法人に係る課税標準の特例

資本金等の額が1,000億円を超える法人の資本割の課税標準は，次の区分によって資本金等の額（10,000億円を超える場合には10,000億円とする）を区分し，それぞれ次の割合を乗じた金額を合計した金額となります。

資本金等の額	割　合
1,000億円以下の金額	100%
1,000億円超～5,000億円以下の金額	50%
5,000億円超～10,000億円以下の金額	25%

（例）　資本金等の額が15,000億円の場合
1,000億円×100%＋（5,000億円－1,000億円）×50%＋（10,000億円－5,000億円）×25%＝4,250億円

3．収入課税法人の場合

電気供給業[注1]，ガス供給業（特定ガス供給業，一般ガス供給業を除く[注2]），生命保険業および損害保険業を行う法人は，その収入金額に対してのみ事業税が課されます。この収入金額に対して課される事業税を，収入割といいます。

収入割　＝　収入金額　×　1.0%

（注1）　発電・小売電気事業，特定卸供給事業については，収入割だけではなく，下記のとおりとなります。

区分	事業税の計算				
資本金1億円超の法人	収　入　割 0.75%	＋	付加価値割 0.37%	＋	資　本　割 0.15%
資本金1億円以下の法人	収　入　割 0.75%	＋	所　得　割 1.85%		

（注2）　ガス供給業のうち特定ガス供給業，一般ガス供給業については，令和4年4月1日以後開始する事業年度から，一定の課税方式に見直しがされています。

(1)　電気供給業・ガス供給業

電気供給業・ガス供給業を行う法人の収入割の課税標準となる収入金額は，次の金額となります。

収入金額	＝	各事業年度の電気供給業・ガス供給業に係る収入金額の総額	－	各事業年度の国･地方公共団体から受ける補助金，固定資産の売却による収入金額

(2)　生命保険業

生命保険業を行う法人の収入割の課税標準となる収入金額は，当該法人が契約した次の生命保険の区分に応じ，それぞれ次の金額となります。

生命保険の区分	収　入　金　額
個　人　保　険	各事業年度の収入保険料× 24%
貯　蓄　保　険	各事業年度の収入保険料× 7%
団　体　保　険	各事業年度の収入保険料× 16%
団体年金保険	各事業年度の収入保険料× 5%

(3)　損害保険業

損害保険業を行う法人の収入割の課税標準となる収入金額は，当該法人が契約した次の損害保険の区分に応じ，それぞれ次の金額となります。

損害保険の区分	収　入　金　額
船　舶　保　険	各事業年度の正味収入保険料 × 25%
運送保険・積荷保険	各事業年度の正味収入保険料 × 45%
自動車損害賠償責任保険	各事業年度の正味収入保険料 × 10%
地　震　保　険	各事業年度の正味収入保険料 × 20%
上記損害保険以外のもの	各事業年度の正味収入保険料 × 40%

4．課税標準の分割

複数の都道府県に事務所または事業所を有する法人は，課税標準を従業員数等の一定の基準によって按分し，これにそれぞれの都道府県の税率を乗じた税額を算出します。

5．地方創生応援税制（企業版ふるさと納税）

⑴ 概　　要

青色申告法人が，地域再生法の改正法の施行日（平成28年４月20日）から令和７年３月31日までの間に，地方公共団体の行う一定の地方創生事業に対して行った一定額以上の寄附について，下記の金額が税額から控除されます。

令和２年４月１日以後に開始する事業年度

税目		控除額	控除限度額
①法人事業税		寄附金額×20%	法人事業税額×20%
②法人住民税	法人道府県民税法人税割	寄附金額×5.7%	法人道府県民税額×20%
	法人市町村民税法人税割	寄附金額×34.3%	法人市町村民税額×20%
③法人税		②で控除しきれなかった金額と寄附金額×10%とのうちいずれか少ない金額	法人税額×５%

⑵ 対象外となる寄附金

次の地方公共団体への寄附については本制度の適用対象外となります。

① 法人の主たる事務所が立地する地方公共団体

② 地方交付税の不交付団体などの一定の地方公共団体

第2節　特別法人事業税

1．課税対象法人および課税標準

法人事業税の所得割または収入割の納税義務者が特別法人事業税の対象となり，法人事業税額（標準税率により計算した所得割額または収入割額）が課税標準となります。

2．税額の計算方法

特別法人事業税は，法人事業税額に以下の税率を乗じて算出します。

特別法人事業税 ＝ 基準法人所得割額または基準法人収入割額 × 税率

↑

標準税率により計算した法人事業税の所得割額または収入割額

特別法人事業税の税率

法人の区分	令和元年10月１日以後(注1)(注2)
外形標準課税が適用になる所得課税法人	260.0%
外形標準課税の適用がない所得課税法人	37.0%
収入課税法人	30.0%

(注１)　令和元年10月１日以後に開始する事業年度に課せられる特別法人事業税を指します。

(注２)　電気供給業のうち，発電・小売電気事業，特定卸供給事業については，40%

(注３)　ガス供給業のうち特定ガス供給業，一般ガス供給業については、令和４年４月１日以後開始する事業年度について，一定の税率により課税されます。

法人事業税の所得割額または収入割額の計算に超過税率が適用されている場合でも，標準税率により計算した法人事業税の所得割額または収入金額を用いて，特別法人事業税の計算を行います。

なお，税目は国税ですが，法人の事業税の申告の例により，法人の事業税の申告と併せて，都道府県に申告納付します。

第3節　住　民　税

法人が課される住民税には，法人道府県民税，法人市町村民税（都民税を含む）があります。

次のとおり道府県民税および市町村民税は，それぞれ均等割と法人税割により構成されています。

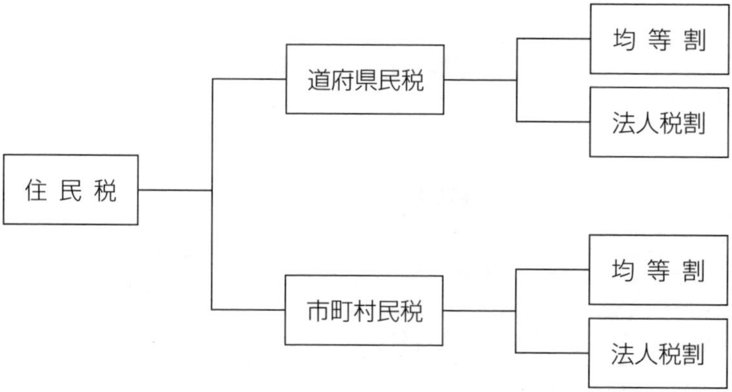

1．納税義務者

(1)　道府県民税の納税義務者

道府県民税の納税義務者は，次の法人等であり，これらの法人等に対してそれぞれ次の道府県民税が課されます。

納税義務者	課される道府県民税
道府県内に事務所または事業所を有する法人	均等割額・法人税割額
道府県内に事務所または事業所を有する人格のない社団等（収益事業を行うものに限る）	均等割額・法人税割額
道府県内に寮等を有する法人で当該道府県内に事務所または事業所は有しないもの	均等割額

(2)　市町村民税の納税義務者

市町村民税の納税義務者は，次の法人等であり，これらの法人等に対してそれぞれ次の市町村民税が課されます。

納税義務者	課される市町村民税
市町村内に事務所または事業所を有する法人	均等割額・法人税割額
市町村内に事務所または事業所を有する人格のない社団等（収益事業を行うものに限る）	均等割額・法人税割額
市町村内に寮等を有する法人で当該市町村内に事務所または事業所は有しないもの	均等割額

2．均　等　割

均等割とは，所得の有無・多寡に関係なく，法人の資本金等の額と従業員の人数に応じて課される税金をいいます。

区分＼項目		市町村民税	道府県民税
資本金等の額	期末従業員数	標準税率	標準税率
50億円超	50人超	3,000千円	800千円
	50人以下	410千円	
10億円超～50億円以下	50人超	1,750千円	540千円
	50人以下	410千円	
1億円超～10億円以下	50人超	400千円	130千円
	50人以下	160千円	
1千万円超～1億円以下	50人超	150千円	50千円
	50人以下	130千円	
1千万円以下	50人超	120千円	20千円
	50人以下	50千円	
上記以外の法人		50千円	20千円

（注1）　資本金等の額の定義は，資本割の計算における資本金等の額と同様です（第6章第1節2.(5)参照）。なお，清算中の法人について，資本割の計算とは異なり，資本金等の額がないものとはなりません（資本金等の額を認識して課税される）。

3．法人税割

(1)　法人税割の算定方法

法人税割とは，法人税額を基準に課される税金をいい，次の算式より計算されます。

法人税割 ＝ 法人税額（注1） × 税率（注2）

（注1） 複数の都道府県または市町村に，事務所または事業所を有する法人は，従業者数を基礎として，法人税額を各都道府県または市町村に按分します。なお，法人税額は，法人税における一定の税額控除等を適用する前の金額となります（中小企業者等は，試験研究費等に係る税額控除・給与等の支給額を増加した場合の税額控除等を適用した後の金額となる）。

（注2） 地域間の税収・財政力の格差是正のため，平成26年度税制改正において地方法人税（国税）が創設され，法人税割の税率が改正されました（第5章第7節参照）。

税目		令和元年10月1日以後（注3）（標準税率）
地方税	道府県民税法人税割	1.0%
	市町村民税法人税割	6.0%
国税	地方法人税	10.3%
合計税率		17.3%

（注3） 令和元年10月1日以後に開始する事業年度を指します。

(2) 地方創生応援税制（企業版ふるさと納税）

青色申告法人が一定の地方公共団体に対して寄附を行った場合には，一定金額が法人税割より控除されます（詳細は第6章第1節5．参照）。

『第７章』

グループ法人に係る税務

第１節　グループ法人税制

１．制度創設の背景

近年の企業グループの経営活動を見ると，意思決定の迅速化や経営責任の明確化のために事業部門を子会社化するケース，経営の効率化のために複数の企業が共同して持株会社をつくり経営統合するケース，グループの一体性を強化するために上場子会社を非公開化し100％子会社にするケース，など複数の企業を１つのグループとして運営する動きが加速していることがわかります。

このように企業グループの経営活動が変化する中，グループ法人の一体的運営が加速している実態をふまえて，その実態に即した税制の在り方を検討することが必要になってきました。そこで，グループ法人の一体性に着目した税制としてグループ法人税制が整備されました。

＜グループ法人に係る税制の主要項目＞

① グループ法人単体課税制度，グループ通算制度の整備（グループ内取引等に関する税制の整備）

② その他（資本に関係する取引等に係る税制の見直し）

2．グループ法人税制の概要

企業グループ全体を対象とした税制（グループ法人税制）としては，グループ法人単体課税制度とグループ通算制度があります。

グループ法人税制は，100％グループ内の法人間の取引について，グループ内取引であるという実態をふまえた課税を行う制度であり，グループ通算制度を包含した制度となっています。

なお，グループ通算制度を選択していない企業グループに対して適用されるグループ法人税制をグループ法人単体課税制度といいます。

単体納税制度とグループ法人税制の比較

	単体納税制度	グループ法人税制	
		グループ法人単体課税制度	グループ通算制度
申告・納税	各法人ごと	各法人ごと	各法人ごと
所得・欠損の通算	なし	なし	あり
資産の譲渡等の一定のグループ間取引	従来どおりの損益認識	内部取引と考える（損益認識に特例措置）	内部取引と考える（損益認識に特例措置）

第２節　グループ法人単体課税制度

1．制度の概要

グループ法人単体課税制度においては，100％の資本関係がある企業グループ内での資産の譲渡，寄附，配当等について，同じ企業グループ内での内部取引と考えたうえで課税を行います。

また，グループ法人単体課税制度における申告および納税は各法人で行う必要があるため，損益通算（各法人の所得と欠損の通算）はできません。

2．適用対象となる法人

⑴　対 象 範 囲

グループ法人単体課税制度は，完全支配関係がある法人間の取引に対して適用されます。よって，同じ企業グループ内の法人でも，完全支配関係がない法人に対しては，適用されません。

ここでいう完全支配関係とは，以下の資本関係をいいます。

> 完全支配関係：一の者が法人の発行済株式等の全部を直接もしくは間接に保有する関係として一定の関係（以下，「当事者間の完全支配の関係」という），または，一の者との間に当事者間の完全支配の関係がある法人相互の関係

完全支配関係とは「完全」とあるとおり，原則的には100％の資本関係がある法人との関係をいい，具体的には以下の企業グループ内の取引がグループ法人単体課税制度の対象範囲となります。

直接保有の場合

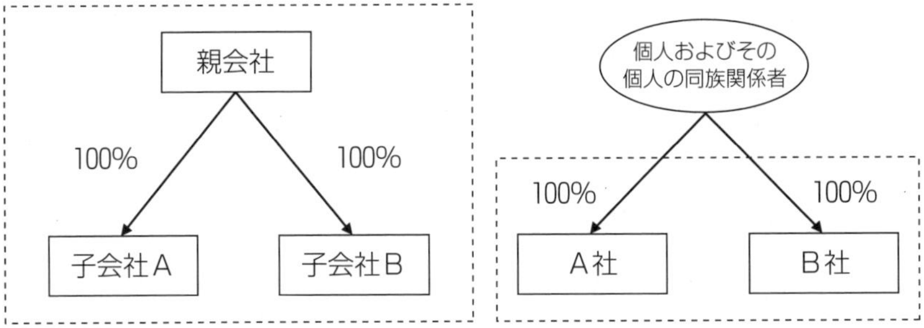

上の図で説明しますと，親会社（一の者）が子会社Ａ（法人）および子会社Ｂ（法人）の発行済株式の全部を直接に保有しているため，親会社と子会社Ａ，親会社と子会社Ｂ，にはそれぞれ完全支配関係があることになります。

また，子会社Ａおよび子会社Ｂは，それぞれ親会社（一の者）との間に当事者間の完全支配の関係がありますので，子会社Ａおよび子会社Ｂは，当事者間の完全支配の関係がある法人相互の関係があり，子会社Ａと子会社Ｂの間にも

完全支配関係があることになります。

間接保有の場合

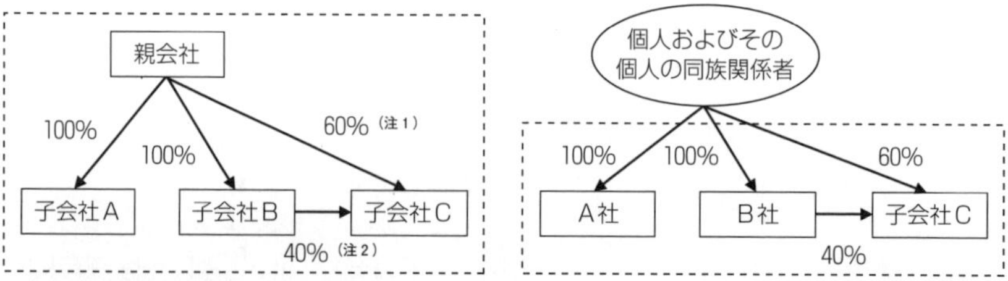

（注１）　親会社による直接保有：60％
（注２）　子会社Ｂを通しての間接保有：40％
　　　　　合計100％の資本関係

この場合，子会社Ｃは，親会社または個人株主に発行済株式の60％を直接に保有されており，さらに，発行済株式の100％を保有している子会社Ｂまたは Ｂ社を通じて発行済株式の40％を間接に保有されています。直接保有および間接保有あわせて発行済株式の100％を保有されているため，親会社または個人株主と完全支配関係があることになります。なお，当事者間の完全支配の関係がある法人相互の関係は直接保有の場合と同様になります。

⑵　制度の選択

上記⑴の完全支配関係を構成する企業グループ内にある法人間の取引については，グループ法人単体課税制度が適用されます。

グループ通算制度は納税者自ら適用の有無を選択することができますが，グループ法人単体課税制度は選択することができず，完全支配関係がある企業グループ間の一定の取引について強制適用されることになります。

３．制度の詳細

グループ法人単体課税制度の内容は，主に以下の４つに分類されます。

制度の内容	
①	100%グループ内の法人間の資産の譲渡取引等
②	100%グループ内の法人間の寄附
③	100%グループ内の法人間の配当
④	中小企業向け特例措置の大法人の100%子法人等に対する適用除外

(1)　100%グループ内の法人間の資産の譲渡取引等

①　制度の内容

同一企業グループ内においても，完全支配関係がない法人間で資産の譲渡取引を行った場合には，第三者に資産を譲渡した場合と同様に，資産を譲渡した時点で譲渡損益を認識します。

しかし，完全支配関係がある内国法人間で行った一定の資産の譲渡取引については，資産を譲渡した法人はその譲渡の時点では譲渡損益を認識せずに，その譲渡損益の認識を繰り延べます。

繰り延べられた譲渡損益は，資産を取得した法人においてその資産を譲渡・償却・評価換え・貸倒れ・除却等の事由が生じた時点で，その資産を譲渡した法人において認識することになります。

＜具体例＞

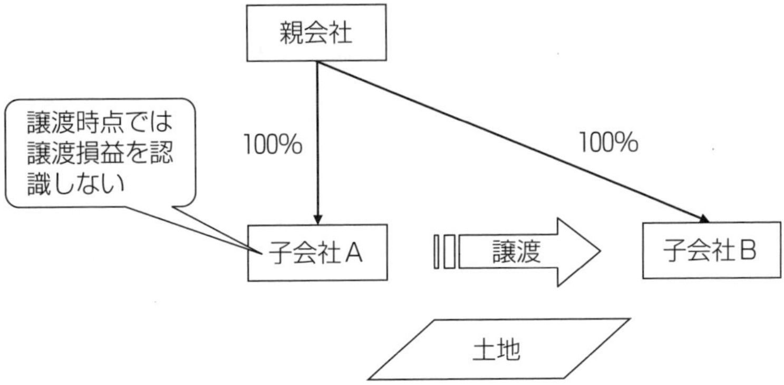

◆　**土地を時価で譲渡した場合の子会社Aの取扱い**

【前提条件】

・土地　簿価５億円（時価10億円）

【step. １】

・子会社Ａが子会社Ｂに土地を時価で譲渡

【step. ２】

・子会社Ｂは数年後に取得した土地をグループ外の第三者に時価で譲渡（便宜上，時価は変わらないこととする）

	完全支配関係	会計仕訳	税務の取扱い
step. 1	無	（現　金） 10億円 （土　地） 5億円 （譲渡益） 5億円	税務仕訳：（現　金） 10億円 （土　地） 5億円 （譲渡益） 5億円 税務調整：なし
	有	同上	税務仕訳：（現　金） 10億円 （土　地） 5億円 （譲渡損益調整） 5億円 税務調整：譲渡益5億円を減算調整
step. 2	無	仕訳なし	税務仕訳：なし 税務調整：なし
	有	同上	税務仕訳：（譲渡損益調整） 5億円 （譲渡益） 5億円 税務調整：譲渡益5億円を加算調整

②　譲渡損益が繰り延べられる資産の範囲

上記の取扱いは，すべての資産についてその譲渡損益が繰り延べられるのではなく，一定の範囲の資産のみが繰延べの対象となります。

繰延べの対象となる資産の範囲（以下，「譲渡損益調整資産」という）は以下のとおりです。

譲渡損益調整資産：固定資産，土地等，有価証券（売買目的有価証券を除く），金銭債権および繰延資産

（注）　譲渡直前の帳簿価額が1,000万円未満のものは除きます。

③　完全支配関係がなくなった場合の取扱い

グループ法人単体課税制度における譲渡損益の繰延措置は，完全支配関

係がある法人間での一定の資産の譲渡取引を前提としています。

したがって，資産を譲渡した法人と資産を取得した法人との間に完全支配関係がなくなった場合には，繰延措置の前提となる完全支配関係がなくなることから，支配関係がなくなった時点で資産を譲渡した法人で譲渡損益が実現することになります。

(2)　100％グループ内の法人間の寄附

①　制度の内容

同一企業グループ内においても，完全支配関係がない法人間での寄附金については，第三者に寄附した場合と同様に，支出法人では損金算入限度額を超える金額は損金不算入となり，受取法人では全額を受贈益として，益金算入する取扱いとなります。

しかし，完全支配関係（法人による完全支配関係に限る）がある内国法人間で行った寄附については，支出法人では全額を損金不算入にするとともに，受取法人では全額を益金不算入にします。この寄附修正事由が生じた場合には，支出法人の株主は支出法人株式簿価を減額修正し，受取法人の株主は受取法人株式簿価を増額修正します（どちらも利益積立金による調整）。

<具体例>

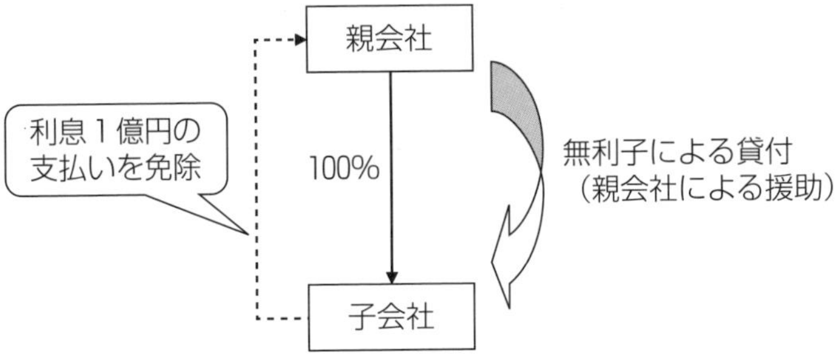

◆ 親会社および子会社のそれぞれの取扱い

	完全支配関係	会計仕訳	税務の取扱い
親会社	無	仕訳なし	税務仕訳：（寄附金）１億円（受取利息）１億円 税務調整：寄附金損金不算入（限度額超過部分）
	有	同上	税務仕訳：（寄附金）１億円（受取利息）１億円 税務仕訳：（子会社株式）１億円（利益積立金）１億円 税務調整：寄附金損金不算入（１億円）
子会社	無	仕訳なし	税務仕訳：（支払利息）１億円（受贈益）１億円 税務調整：なし
	有	同上	税務仕訳：（支払利息）１億円（受贈益）１億円 税務調整：受贈益益金不算入（１億円）

② 本制度が適用される完全支配関係

この制度は，完全支配関係のなかでも「法人による完全支配関係」に限定されており，例えば，個人が内国法人Ａと内国法人Ｂの株式をそれぞれ100％保有している場合で，内国法人Ａから内国法人Ｂに寄附を行ったときには適用されません。

(3) 100％グループ内の法人間の配当

① 制度の内容

同一企業グループ内においても，完全支配関係がない法人（関連法人株式等）からの配当金については，第三者間での配当金と同様に負債利子を控除したあとの金額を益金不算入としていました。

一方，完全支配関係がある内国法人からの配当金については，益金不算入の金額を計算する際に，負債利子を控除しないとする取扱いとなります。

＜具体例＞

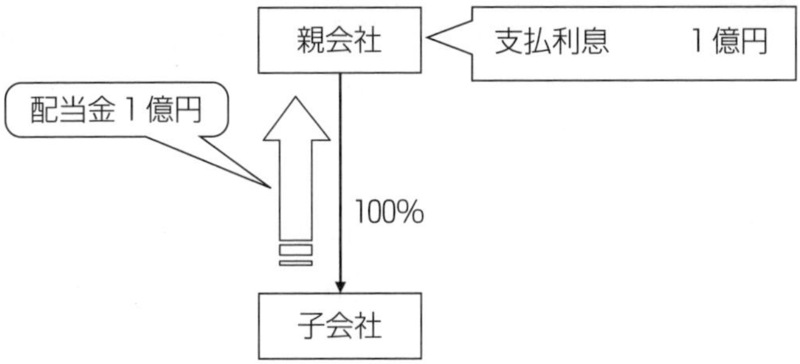

◆ **親会社における益金不算入額の計算**

完全支配関係	益金不算入額	計　算　式
無	0.96億円	配当金１億円 ▲（配当金１億円×４％）
有	１億円	配当金１億円（負債利子控除なし）

(4) 中小企業向け特例措置の大法人の100％子法人等に対する適用除外

以下の中小企業向け特例措置は，原則として事業年度終了時点の資本金の額または出資金の額が１億円以下の法人に適用されます。しかし，大企業の100％子会社や孫会社などについては，企業グループの一体性に着目した税制が整備されたことからこのような特例措置の適用が制限されています。具体的には，事業年度終了時点の資本金等の額が１億円以下で，

「大法人(注)との間にその大法人による完全支配関係がある普通法人」

「複数の完全支配関係がある大法人(注)に発行済株式等の全部を保有されている普通法人」

には適用されません。

(注)　資本金の額または出資金の額が５億円以上の法人等をいいます。

特例措置		特例措置の概要
①	軽減税率	年800万円以下の所得に対する法人税の税率を軽減する制度（第５章第１節１．参照）
②	特定同族会社の留保金課税の不適用	特定同族会社の留保金課税が，不適用となる制度（第５章第２節２．参照）
③	貸倒引当金繰入額の損金算入	会計上で貸倒引当金勘定に繰り入れた金額のうち貸倒引当金繰入限度額まで損金算入できる制度（第４章第11節２．参照）
④	貸倒引当金の法定繰入率	一括評価金銭債権の貸倒引当金の繰入限度額の計算を貸倒実績率と法定繰入率から選択適用できる制度（第４章第11節２．参照）
⑤	交際費等の損金不算入制度の定額控除限度額	交際費等の額のうち一定金額まで損金算入できる制度（第４章第４節２．参照）
⑥	青色欠損金の繰越控除限度額	青色欠損金の繰越控除限度額を欠損金控除前所得金額とする制度(第４章第12節２．参照)
⑦	欠損金の繰戻しによる還付金額	青色申告書を提出する事業年度に欠損金が生じた場合に，その欠損金額をその事業年度開始の日前１年以内に開始したいずれかの事業年度に繰り戻して法人税額の還付を請求できる制度（第４章第12節３．参照）

第３節　グループ通算制度

1．グループ通算制度への移行

令和４年４月１日以後に開始する事業年度から連結納税制度はグループ通算制度へ移行しました。

移行することになった経緯として，連結納税制度は企業グループを１つの納税単位としていたことでグループ間の調整計算が煩雑となっておりました。そのため，税務調査の場面においてもグループ内の１社に修正・更正等があった場合には，グループ全体での再計算を行う必要があるため納税者，課税庁，ともに多大な事務負担が生じるといったデメリットが指摘されていました。

そこで，連結納税制度の企業グループ内における損益通算を可能とする基本的な枠組は維持しつつ，制度の簡素化により企業の事務負担の軽減を図ることを目的としてグループ通算制度に移行しました。

2．グループ通算制度の適用対象法人

グループ通算制度の適用を受ける場合には，「内国法人およびその内国法人との間にその内国法人による完全支配関係がある他の内国法人」のすべてが通算承認を受ける必要があります。通算承認を受けた，親法人を「通算親法人」，子法人を「通算子法人」といい，通算親法人および通算子法人を総称として「通算法人」とよびます。

(1)　通算親法人

通算親法人になれる法人は内国法人である普通法人または協同組合等に限られます。ただし，普通法人または協同組合等であっても，清算中の法人等一定の法人については通算親法人となることはできません。

(2)　通算子法人

通算子法人になれる法人は通算親法人または通算親法人との間に完全支配関係のある内国法人である普通法人に限られます。ただし普通法人であっても，

破産手続き開始の決定を受けた法人等一定の法人については通算子法人となることはできません。

なお，通算親法人とは異なり清算中の法人は通算子法人になることができます。

3．グループ通算制度の開始手続き

グループ通算制度の適用を受けようとする場合には，原則として最初に適用を受けようとする通算親法人の事業年度開始の日の3か月前の日までにその通算親法人および通算子法人のすべての連名で，通算制度承認申請書を通算親法人の納税地の所轄税務署長を経由して，国税庁長官に提出する必要があります。

4．グループ通算制度における事業年度

グループ通算制度における事業年度は原則として通算親法人の事業年度で統一されるため，通算子法人の事業年度は最初の通算事業年度の前日で区切られることになります。

また，子法人が通算親法人との間に通算親法人による完全支配関係を有することとなった場合には，その前日までで事業年度を区切り完全支配関係を有することとなった日からグループ通算制度に加入することが原則となります。ただし，一定の届出書を提出することを要件に加入日の翌月初または翌期首からグループ通算制度に加入することも可能です。

5．グループ通算制度の申告・納付

(1) 申告・納税の単位

グループ通算制度は各法人が申告単位となるため，通算法人ごとにそれぞれの本店または主たる事務所所在地の所轄税務署長に確定申告書を提出し，納税を行うことになります。

連結納税制度では，連結親法人がグループ全体の申告・納付を行っていましたが，グループ通算制度では通算法人である各法人が個別に申告・納付を行う

ことになります。

⑵　申告方法（電子申告）

通算法人については，事業年度開始時の資本金の額に関係なく，中小法人であっても電子申告により確定申告書を提出する必要があります。

⑶　確定申告書の提出期限とその延長

通算法人についても，確定申告書の提出期限は通常の法人と同様，事業年度終了の日の翌日から２か月以内となりますが，通算法人が定款等の定めにより，確定申告書の提出期限まで提出できない常況にあると認められる場合には，通算親法人の申請により確定申告書の提出期限を２か月間延長することができます。

なお，通算親法人が確定申告書の提出期限の延長の承認を受けた場合には，全ての通算法人に適用されます。

⑷　中 間 申 告

中間申告は基本的には通常の法人と同様ですが，前年度実績に基づく中間申告に代わり，仮決算による中間申告書を提出する場合にはすべての通算法人が仮決算による中間申告を行う必要があります。

なお，通算法人の仮決算に基づく中間申告の法人税額の合計額がこれらの通算法人の前年度実績額の合計額を超える場合には，仮決算による中間申告を行うことはできません。

６．グループ通算制度における所得および計算のイメージ

グループ通算制度は，通算法人が個別に法人税額等の計算および申告納税を行う制度となり，計算過程の全体イメージは，次のとおりです。

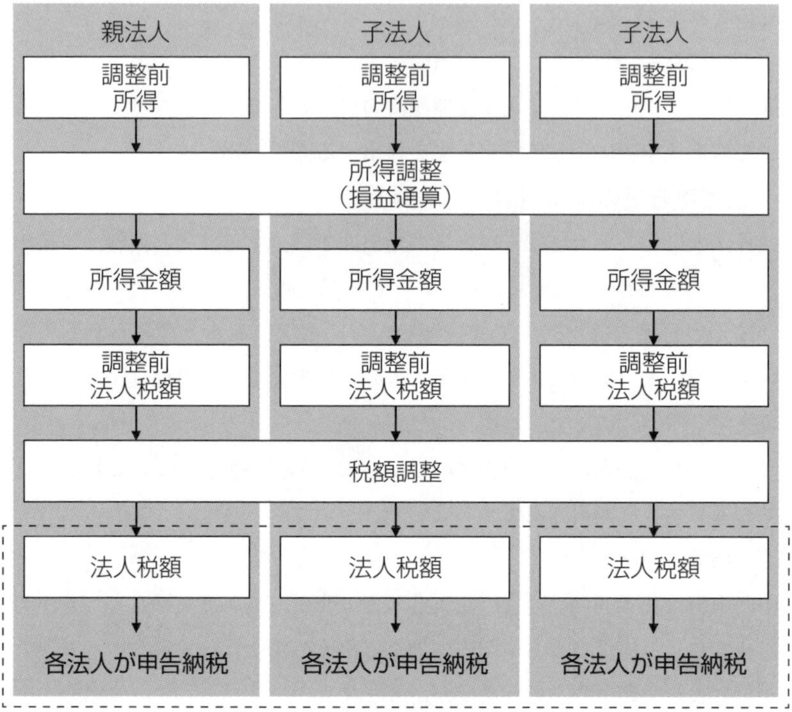

（出典元：政府税制調査会「連結納税制度に関する専門家会合参考資料」より筆者加工）

7．グループ通算制度における損益通算

(1) 概　　要

グループ通算制度における損益通算とは，各事業年度において所得が生じた通算法人と欠損が生じた通算法人との間で相殺処理を行うことをいい，所得が生じた法人は欠損が生じた法人の欠損を利用して所得を減額させることができます。

すなわち，通算法人はそれぞれが申告単位となりますが，所得計算をするうえでは，通算グループを１つの法人と考えて，通算グループ内の所得と欠損を相殺処理して所得計算を行うことになります。

なお，所得が生じた通算法人での相殺額は，欠損金額の合計額をそれぞれの通算法人の所得金額の比率で按分した金額となります。（下記，⑵参照）また，欠損が生じた通算法人での相殺額は，所得金額の合計額をそれぞれの通算法人の欠損金額の合計額の比率で按分した金額となります。（下記，⑶参照）

⑵　通算対象欠損金額の損金算入額の計算方法

所得法人において，通算グループ内の欠損法人の欠損金額を損金算入することになります。その金額を通算対象欠損金額といい，具体的には次の算式により計算します。

$$\text{通算グループ全体の所得金額の合計額（分母を限度）} \times \frac{\text{各欠損法人の欠損金額}}{\text{通算グループ全体の欠損金額の合計額}}$$

⑶　通算対象所得金額の益金算入額の計算方法

欠損法人において，通算グループ内の所得法人の所得金額を益金算入することになります。その金額を通算対象所得金額といい，具体的には，次の算式より計算します。

$$\text{通算グループ全体の欠損金額の合計額（分母を限度）} \times \frac{\text{各所得法人の所得金額}}{\text{通算グループ全体の所得金額の合計額}}$$

(4) 損益通算の計算（イメージ図）

	親法人	子法人A	子法人B	子法人C
所得・欠損	所得300	所得200	所得▲50	所得▲150
合算	所得 300+200=500 欠損 ▲50+▲150=▲200			
調整	▲120 (▲200×300/500)	▲80 (▲200×200/500)	50 (200×50/200)	150 (200×150/200)
調整後所得	180	120	0	0

(5) 損益通算の遮断措置（当初申告額に固定）

グループ内の１つの法人が税務調査などにより，修正申告，更正，決定（以下「修正申告等」という）があった場合には，修正後の所得金額や欠損金額に基づいて，損益通算についても再度計算することが，通算グループを１つの法人として捉える考え方からすると妥当かと思われます。

しかし，通算グループ内で修正申告等がある都度，グループ全体の再計算を行うことは多大な事務負担が生じることとなるため，グループ通算制度では，原則として損益通算の金額を当初の金額のまま固定（損益通算の遮断措置）することにより，修正申告等があった場合でも，修正申告等が生じた通算法人のみが所得金額，欠損金額を再計算する取扱いとなります。

すなわち，通算グループ内の１社の税務調査による否認等の影響がグループ内の他の通算法人に影響しない仕組みとなります。

ただし，遮断措置を行うことにより不利に働くケースにおいては遮断措置を適用せず，グループ全体で再計算を行う場合があります。

(6)　**損益通算の計算**（修正申告により子法人Ｃの欠損額が50減少した場合）

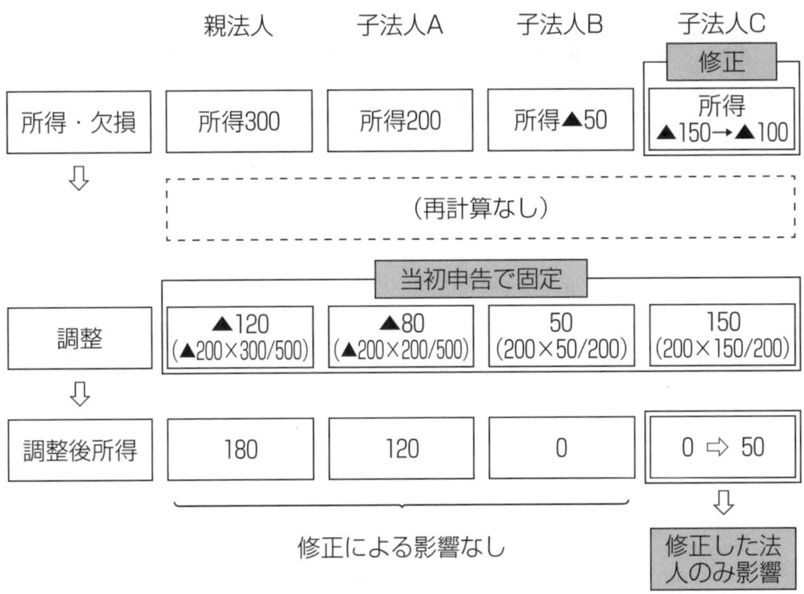

8．中小法人の判定および中小法人向け特例について

中小法人に該当するかどうかの判定については，通算親法人による判定ではなく，通算グループ内のいずれかの通算法人に大法人がある場合には，通算グループ内のすべての通算法人が中小法人に該当しないことになります。

したがって，グループ通算制度においては，通算グループ内に１社でも中小法人以外の法人がある場合には，通算グループ内のすべての通算法人が，中小法人向け特例の適用を受けることができないということになります。

9．個別制度の取扱い

グループ通算制度では，個別制度（寄附金の損金不算入制度等）について，原則通算法人ごとに個別で計算します。ただし，研究開発税制・外国税額控除制度の計算については，グループ全体計算の仕組みが維持され，引き続きメリットを享受することができます。

10. 通算親法人の適用開始等前の欠損金，時価評価課税の見直し

グループ通算制度では，開始等前欠損金について，通算子法人に限らず通算親法人についても，切捨て，または通算親法人の所得の範囲内での控除（通算子法人との間に，完全支配関係が継続される見込み等一定の要件を満たした場合），となります。

また，開始等前の時価評価課税についても，通算子法人に限らず通算親法人も時価評価の対象となります。なお，完全支配関係の継続が見込まれる等一定の要件を満たす場合には，通算親法人，通算子法人，ともに時価評価課税はされません。

【参考】グループ法人税制の比較表

	単体納税制度	グループ法人 単体課税制度	グループ通算制度
グループの範囲	―	発行済株式の全部を直接または間接に保有する関係にある内国法人	同左
適用形態	―	強制適用	選択適用
損益通算	―	不可	可
申告・納付	各法人で申告·納付	同左	同左
繰越欠損金	各法人で発生した繰越欠損金について，各法人で所得から控除	同左	グループ通算制度開始時において，通算親法人，通算子法人の繰越欠損金について，一定の場合には全額切捨て等特別な取扱いがある
資産の時価評価	―	―	グループ通算制度開始時に通算親法人，通算子法人の一定の資産を時価評価する特別な取扱いがある

グループ間の資産の譲渡取引等	譲渡損益を認識	譲渡損益を繰り延べる	同左
グループ間の寄附	・支出法人では，限度額を超える金額が損金不算入 ・受取法人では，全額が益金算入	・支出法人では，全額が損金不算入 ・受取法人では，全額が益金不算入	同左
子法人株式の簿価修正	－	寄附修正事由が生じた場合に，寄附金（受贈益）のうち持分相当額を簿価修正	通算グループ離脱等した場合に，通算子法人の離脱等時の簿価純資産価額（資産調整勘定等対応金額を加算可能）に簿価修正
グループ間の配当	負債利子を控除	負債利子を控除しない	同左

『第８章』

組織再編税制

第１節　組織再編の概要

1．組織再編の目的

事業の多角化を進めている企業は多く，新しい事業を創出することでお客様の多種多様なニーズに応えると共に，事業基盤を拡充し，企業価値を高めようとしています。また，効率化を目的とした事業の集約や子会社同士の合併等のグループ内再編，資本構成を見直すための100％子会社化も行われています。M＆Aのために事業を切り出し売却することもあります。そして，これらの目的を果たすために組織再編が活用されています。

2．法人税法上の主な組織再編

組織再編税制が適用される法人税法上の組織再編は，合併，分割，株式交換・株式移転，現物出資，現物分配等があります（組織再編税制として整理された株式併合や全部取得条項付種類株式等は割愛）。代表的な合併，分割，株式交換・株式移転のイメージ図は以下のとおりです。

(1) 合併

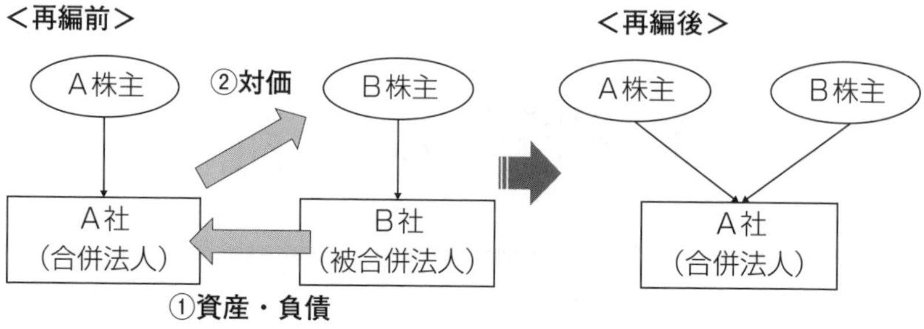

(2) 分割

（分割型分割）発行する分割対価を分割法人の株主に交付するもの

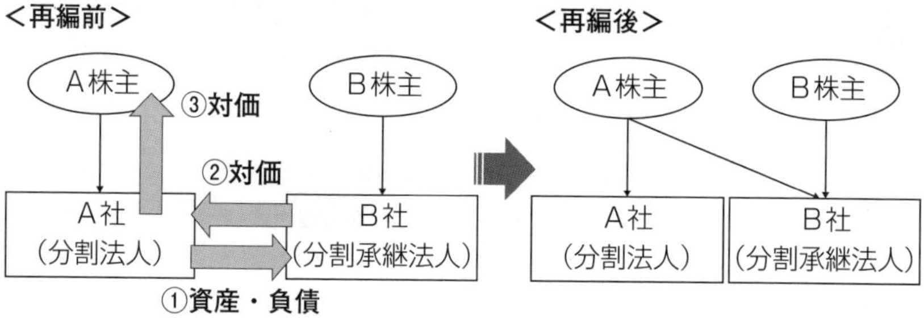

（分社型分割）発行する分割対価を分割法人に交付するもの

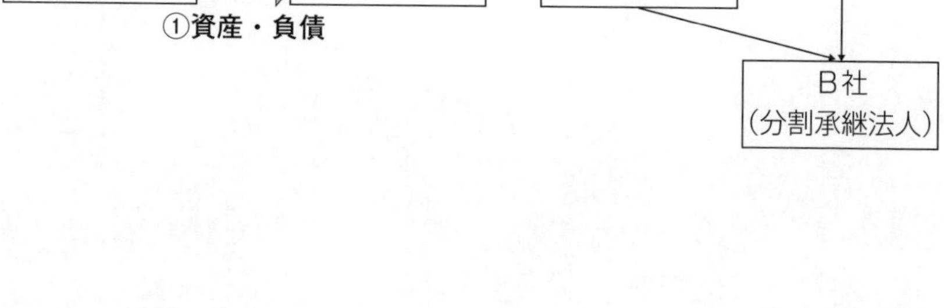

(3)　株式交換

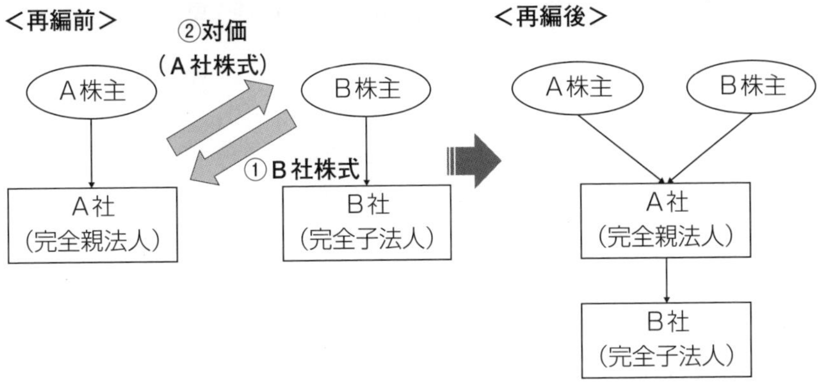
＜再編前＞
②対価
（A 社株式）
A 株主
B 株主
①B 社株式
A 社
（完全親法人）
B 社
（完全子法人）
＜再編後＞
A 株主
B 株主
A 社
（完全親法人）
B 社
（完全子法人）

(4)　株式移転

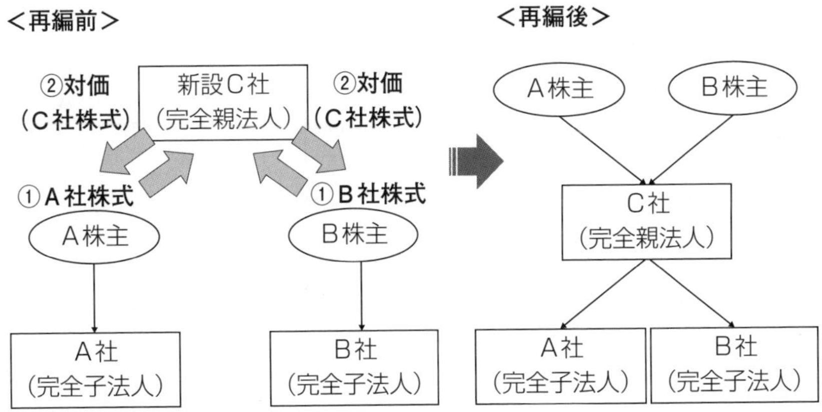
＜再編前＞
②対価
（C 社株式）
新設 C 社
（完全親法人）
②対価
（C 社株式）
①A 社株式
①B 社株式
A 株主
B 株主
A 社
（完全子法人）
B 社
（完全子法人）
＜再編後＞
A 株主
B 株主
C 社
（完全親法人）
A 社
（完全子法人）
B 社
（完全子法人）

第２節　組織再編税制の概要

１．概要

組織再編そのものは，会社や事業の統合や分離，株式集約による資本構成の見直しを行うために活用されますが，基本的な考え方は，「会社，事業，株式を移転し，その対価として現金や株式等の資産を取得すること」，であり，売買と同じです。

法人税法上，売買は時価取引を原則としているため売却損益が発生し，課税所得を構成します。しかし，一定の要件に該当する組織再編は適格組織再編と呼ばれ，帳簿価額で売却したものとして売却損益が繰延べられます。

２．適格組織再編・非適格組織再編

一定の要件とは「適格要件」と呼ばれ，組織再編当時会社の資本関係に応じて必要となる要件が異なります。この適格要件を満たす組織再編を「適格組織再編」，満たさない組織再編を「非適格組織再編」と呼び，それぞれで課税関係が異なります。合併・分割・株式交換（株式移転）の適格要件の概要は以下のとおりです。

資本関係に応じた適格要件

資本関係	株式保有比率(注1)	主な適格要件
完全支配関係がある法人間の組織再編	100%	・対価が株式のみであること ・再編後も完全支配関係が継続すること
支配関係がある法人間の組織再編	50%超100%未満	・対価が株式のみであること ・被再編会社(注2)の移転事業に係る主要な資産や負債が移転すること ・被再編会社の移転事業に係る従業者の80%以上が移転後も継続勤務することが見込まれること ・被再編会社の移転事業が移転後も継続することが見込まれること ・再編後も支配関係が継続すること
支配関係がない法人間の組織再編	50%以下	・対価が株式のみであること ・被再編会社の移転事業に係る主要な資産や負債が移転すること ・共同事業要件(注3)を満たすこと

(注1)　比率は発行済株式（自己株式を除く）で判定します。議決権数ではありません。

(注2)　被再編会社とは，被合併法人，分割法人等の会社や事業を移転する法人をここでは指します。一方，再編会社とは，合併法人，分割承継法人をここでは指します。

(注3)　共同事業要件とは再編当時会社に関して以下の全てを満たす場合の要件を指します。

なお，一定の支配株主がいない場合には(1)から(4)の全て（株式交換・株式移転の場合には，(1)から(4)および(6)の全て）を満たす必要があります。

(1)　再編会社の事業と移転する被再編会社の主要な事業が相互に関連すること

(2)　上記事業のそれぞれの売上金額，従業者数，資本金額等の割合が概ね5倍を超えないこと，または，それぞれの社長等の特定の役員が再編会社の特定の役員になることが見込まれること

(3)　被再編会社の従業者の80%以上が移転後も継続勤務することが見込まれること

(4)　被再編会社の移転事業が移転後も継続することが見込まれること

(5)　再編会社の一定の支配株主が再編後も継続して支配株主あることが見込まれること

(6) 株式交換（株式移転）後に株式交換（株式移転）完全親法人と株式交換（株式移転）完全子法人との間に株式交換（株式移転）完全親法人による完全支配関係が継続することが見込まれること

3．課税関係

ここでは，代表的な組織再編である合併，分割，株式交換・株式移転の課税関係を紹介します。

(1) ポイント

組織再編の当事者は4者です。それぞれの課税関係のポイントは以下のとおりです。

当事者	課税関係のポイント
再編会社	・移転を受ける資産・負債を時価で取得するか，簿価で引継ぐか
被再編会社	・移転する資産・負債を時価で売却するか，簿価で引継ぐか
再編会社の株主	・課税関係は生じない
被再編会社の株主	・時価で売却し，再編会社の株式等を時価で取得するのか，簿価で売却し，再編会社の株式を簿価で取得するのか ・実現した益は株式の売却益か，みなし配当か

(2) 合併の課税関係

① 合併法人

適格合併の場合，合併法人は被合併法人の資産・負債を帳簿価額で引継ぎます。一方，非適格合併の場合には，資産・負債を時価で取得します。また，適格・非適格ともに資産・負債を受け入れ，対価として株式等を交付するため，資本金等の額等の純資産が増加します。

②　被合併法人

適格合併の場合，被合併法人はその有する資産・負債を帳簿価額で合併法人に引継ぎます。一方，非適格合併の場合には，資産・負債を時価で合併法人に売却したものとして売却損益が発生します。

③　合併法人の株主

合併法人の株主は取引当事者ではないため，適格・非適格に関係なく課税関係は生じません。

④　被合併法人の株主

合併により合併法人から交付される対価は，いったん被合併法人に交付され，株主はその後被合併法人から配当として対価を受取ります。対価が合併法人の株式のみである場合には，帳簿価額で譲渡したものとして取り扱われ，株式の売却損益は発生しません。しかし，対価が現金等の合併法人の株式以外の資産の場合には，株式の売却損益が発生します。

次に，対価が合併法人の株式のみである適格合併の場合には，株式の売却損益の他，みなし配当課税もありませんが，対価が合併法人の株式のみであっても非適格合併の場合には，株式の売却損益は発生しませんが，みなし配当課税(注)は発生します。

(注)　受取る対価のうち，被再編会社の資本金等の額を超える部分の金額は利益積立金からの分配であることから，配当とみなしています。

(3)　分割の課税関係

分割は，分割型分割と分社型分割で課税関係が異なります。

①　分割型分割

分割型分割は，分割により分割法人から交付される対価は，いったん分割承継法人に交付され，株主はその後分割承継法人から配当として対価を受取ります。

(イ)　分割法人

被合併法人と取扱いは同じです。しかし，分割承継法人から受け取った対価を分割法人の株主に交付するため，資本金等の額等の純資産が減少します。

(ロ) 分割承継法人

合併法人と取扱いは同じです。

(ハ) 分割法人の株主

合併の場合，被合併法人は消滅するため被合併法人の株主は合併法人の株主になりますが，分割型分割の場合には，分割法人は消滅しないため引き続き分割法人の株主として残ります。基本的な取扱いは被合併法人の株主と同じですが，所有する分割法人の株式の一部が分割承継法人の株式に変わることから税務上の帳簿価額の調整が必要になります。

(ニ) 分割承継法人の株主

合併法人の株主と取扱いは同じです。

② 分社型分割

分社型分割は，分割型分割と異なり，分割法人から交付される対価は分割承継法人が受取り，分割承継法人の株主には交付されません。

(イ) 分割法人

分割型分割と取扱いは基本的に同じですが，分割承継法人から受け取った対価を分割法人の株主に交付しないため，資本金等の額等の純資産は減少しません。

(ロ) 分割承継法人

分割型分割と取扱いは同じです。

(ハ) 分割法人の株主

分割型分割と異なり，分割承継法人の株式が交付されないため，適格・非適格に関係なく課税関係は生じません。

(ニ) 分割承継法人の株主

分割型分割と取扱いは同じです。

(4) 株式交換・株式移転の課税関係

既にある会社が親法人になるか，新たに親会社を設立するかの違いはありますが，課税関係に違いはありません。

①　株式交換（株式移転）完全親法人

株主から完全子法人となる法人の株式を取得し，その対価として自社の株式等の対価を交付します。適格株式交換（株式移転）で，かつ，完全子法人となる法人の株主（以下，旧株主という）が50人未満の場合には，完全子法人株式の税務上の取得価額は旧株主の税務上の帳簿価額を引継ぎます。50人以上の場合には，完全子法人の税務上の簿価純資産価額が取得価額になります。一方，非適格株式交換（株式移転）の場合には，株主の人数に関係なく，時価が取得価額になります。

また，対価を発行することから資本金等の額の純資産が増加します。

②　株式交換（株式移転）完全子法人

取引自体は，完全親法人と完全子法人となる法人の株主との間で行われるものであり，取引当事者ではありません。完全子法人となる法人は株主が変わるだけではあるものの，適格か非適格かで取扱いが異なります。

適格株式交換（株式移転）の場合には，課税関係は生じませんが，非適格株式交換（株式移転）の場合には，株式交換（株式移転）直前の一定の資産(注)を時価評価し，その評価損益が完全子法人となる法人の課税対象になります。

(注)　固定資産，土地（土地の上に存する権利を含み，固定資産に該当するものを除く），有価証券（売買目的有価証券等の一定の有価証券は除く），金銭債権及び繰延資産で帳簿価額が1,000万円以上のもの，または，これら資産の含み益が完全子法人の資本金等の額の2分の1もしくは1,000万円以上のもの

③　株式交換（株式移転）完全親法人の株主

②と同様，取引当事者ではなく，また適格・非適格に関係なく課税関係は生じません。

④　株式交換（株式移転）完全子法人の株主

所有している株式が完全子法人となる法人の株式（以下，旧株式という）

から完全親法人となる株式（以下，新株式という）に変わるだけではあるものの，対価が株式のみであるか否かで取扱いが異なります。

対価が新株式のみである場合には，譲渡損益は発生せず，新株式の取得価額は旧株式の帳簿価額を引継ぎます。一方，対価が新株式のみではない場合には，時価で売却したものとして売却損益が発生し，新株式の取得価額は時価となります。

第3節　組織再編税制の主な個別論点

合併，分割の場合に留意すべき主な項目を紹介します。

1．繰越欠損金の使用制限・引継制限

適格再編が行われた場合には，基本的に再編会社の繰越欠損金はそのまま使用でき，また，被再編会社が有する繰越欠損金は再編会社に引継ぎます。しかし，再編会社と被再編会社の支配関係が5年以下(注1)の場合には，以下の再編会社の繰越欠損金は使用できず，また被再編会社の以下の繰越欠損金は引継げません。しかし，みなし共同事業要件を満たす場合には，以下の制限の対象外になります。

使用できない・引継げない欠損金
・再編会社・被再編会社の支配関係事業年度前の各事業年度の繰越欠損金
・再編会社・被再編会社の支配関係事業年度以後の各事業年度の繰越欠損金のうち，特定資産譲渡等損失額(注2)に相当する金額

（注1）　適格再編が行われた日の属する事業年度開始の日から遡って判定します。

（注2）　それぞれの会社が支配関係前から保有している資産の売却，評価替え等により生じた一定の損失をいいます。

＜みなし共同事業要件＞

適格合併のうち，(1)から(4)の要件の全てに該当する場合，または(1)および(5)の要件に該当する場合にはみなし共同事業要件を満たします。

No.	要件
(1)	再編会社の事業と移転する被再編会社の主要な事業が相互に関連すること
(2)	上記事業のそれぞれの売上金額，従業者数，資本金額等の割合が概ね5倍を超えないこと
(3)	被再編会社の事業が再編会社との間で最後の支配関係を有することになった時から適格再編が行われる直前まで継続して行われており，かつ，その被再編会社の事業規模が支配関係発生時から適格再編の直前の時まで2倍を超えていないこと（規模の指標は売上，資本金等と同じ）。
(4)	(3)の被再編会社を再編会社とした場合に同様の要件を満たすこと
(5)	再編会社，被再編会社のそれぞれの社長等の特定の役員のいずれかの者が再編後も特定の役員になることが見込まれること

2．特定資産譲渡等損失の損金不算入

繰越欠損金の使用・引継制限規定の他に，適格再編後の実現損に対する制限規定が設けられています。これは，含み損のある資産を適格再編により引継ぎ，適格再編後に売却等により損失を実現させることで租税回避する行為を防止するために設けられています。

具体的には，支配関係がある法人間で適格再編を行った場合，その適格組織再編が行われた日の属する事業年度開始日から3年を経過する日(注)までの期間に発生した特定資産譲渡等損失額は損金の額に算入されません。

(注)　3年を経過する日と再編当事会社の最後の支配関係を有することになった日から5年を経過する日のいずれか早い日

3．資産調整勘定・負債調整勘定

非適格再編を行った場合に，移転を受ける資産と負債の差額（時価純資産）を超える金額の対価を交付した場合には，その対価の額と時価純資産の差額を資産調整勘定（正の差額）として処理します。一方，時価純資産未満の対価を交

付した場合の差額は負債調整勘定（負の差額）として処理します。それぞれの調整勘定は法人税法上，５年間で月割償却し，損金の額または益金の額に算入します。

〈参　考〉

国際課税のあらまし

経済のグローバル化に伴い，多くの日本企業が海外に進出しています。国際課税はいまや，多くの企業が直面するテーマとなりました。

1．国際課税の考え方

企業が国境を超えて事業を展開することにより，１つの経済活動に対し，複数の国が課税権を持つことになりました。国際課税は国家間の課税の調整をしつつ，一方で課税の空白を防いで，自国の課税権を守る役割をはたしています。

2．日本における国際課税のしくみ

他国間との二重課税を排除するものとして，①外国子会社配当益金不算入制度，②外国税額控除制度があり，他国間との課税ベースの調整をするものとして③外国子会社合算税制，④移転価格税制，⑤過少資本税制，⑥過大支払利子税制があります。

3．外国子会社配当益金不算入制度の概要

日本の親会社が外国子会社から受け取る配当を益金不算入とする制度です（第２章第４節５．参照）。

4．外国税額控除の概要

日本企業の外国支店等が外国で納付した外国税額を，日本の法人税額から控除できる制度です（第５章第５節参照）。

5．外国子会社合算税制の概要

外国子会社合算税制は，日本企業が税負担の著しく低い国（軽課税国）に外国子会社を設立し，その外国子会社を通じて取引を行うことにより，日本での税負担を不当に軽減することを防ぐための税制です。軽課税国に所在する外国子会社（ペーパーカンパニー等の場合は税負担割合27％未満（2024（令和６）年３月31日以前に開始した事業年度は30％未満），それ以外の場合は税負担割合20％ 未満）の所得を日本親会社の所得に合算して課税をします（外国子会社全体の所得を合算するので「会社単位の合算課税」という）。ただし，その外国子会社が実体のある事業を行っている等の一定の条件（経済活動基準）を満たす場合には「会社単位の合算課税」は行われません(注１)。

(注１) 経済活動基準を満たし「会社単位の合算課税」が行われない場合でも，投資目的の株式や債券などの保有から得られる受動的所得で一定額以上のものについては，租税回避リスクの高い所得として合算課税の対象となります。

この合算課税は所得の一部を合算するので「部分合算課税」といいます。

外国子会社合算税制のイメージ

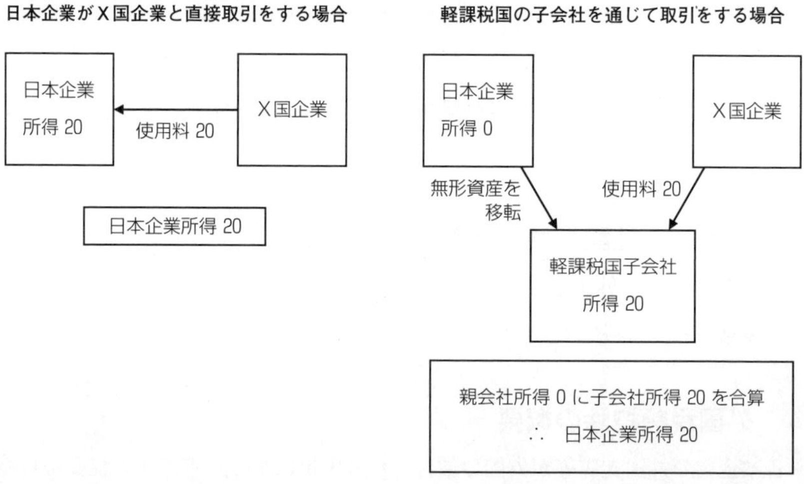

6．移転価格税制の概要

日本企業が海外の関連企業（国外関連者）と取引を行う場合の取引価格（移転価格）について，通常の取引価格（独立企業間価格）と異なる金額を設定すると，一方の利益が他方に不当に移転することになります。移転価格税制は，このような海外の関連企業との取引を通じた所得の海外移転を防ぐため，国外関連者との取引によって所得が海外に流出している場合にその取引については独立企業間価格で行われたものとみなして所得を算定して課税を行う制度です。なお，日本における独立企業間価格の算定方法は，ＯＥＣＤ移転価格ガイドラインに沿った内容となっています。

移転価格税制のしくみ

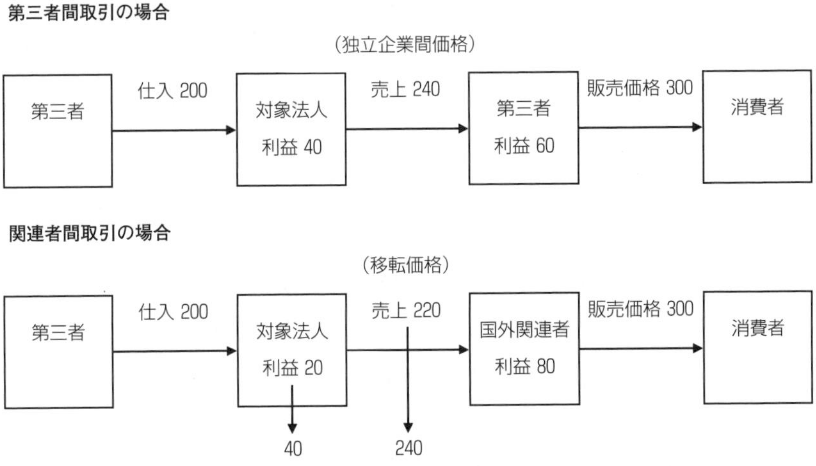

関連者取引につき，独立企業間価格の 240 で取引したものとみなして対象法人の所得を計算する

【参考】　多国籍企業グループに関する情報提供と移転価格書類作成・保存の義務化

(1)　概　　要

次の①②の情報を親会社等が事業年度終了後１年以内に税務署へ提供するこ

と，次の③の文書を対象会社（親子問わず）が確定申告書の提出期限までに作成し一定期間保存することが義務付けられています。

① 国別報告事項（国別報告書）

国別報告事項とは，事業活動を行っている国または地域ごとの多国籍企業グループの収入金額，税引前当期利益の額，納付税額などの国別の活動状況に関する情報を記載した書類をいいます。

② 事業概況報告事項（マスターファイル）

事業概況報告事項とは，多国籍企業グループの組織構造，事業概要，財務状況などのグループの活動の全体像に関する情報を記載した書類をいいます。

③ 独立企業間価格を算定するために必要と認められる書類（ローカルファイル）

独立企業間価格を算定するために必要と認められる書類とは，独立企業間価格を算定するために最適な方法やその算定根拠などを記載した書類をいいます。

(2) 対 象 者

① 国別報告書，マスターファイルの提供義務

直前会計年度の連結総収入金額が1,000億円以上の多国籍企業グループに属する最終親会社等は国別報告書およびマスターファイルを提出しなければなりません。

② ローカルファイルの作成保存義務

前事業年度における一の国外関連者との取引につき次のいずれかに該当する場合に，その国外関連取引を行った法人はローカルファイルを作成し，一定期間保存しなければなりません。

(イ) 取引金額（受け払いどちらも含む）が50億円以上である場合

(ロ) 無形資産取引金額が３億円以上である場合

7．過少資本税制の概要

日本企業が海外の関連企業から資金を調達する場合の方法としては，出資または借入の２つの方法があります。出資を受け入れた場合，出資企業への配当が考えられますが，支払配当は損金に算入されません。一方，借入の場合は利子を支払えば，支払利子は損金に算入されます。過少資本税制は，海外の関連企業から過大な貸付けを受けることによる企業の租税回避を防ぐため，出資と貸付の比率が一定割合を超えた場合に，超過分に対応する支払利子の損金算入を認めないとする制度です。

過少資本税制のしくみ

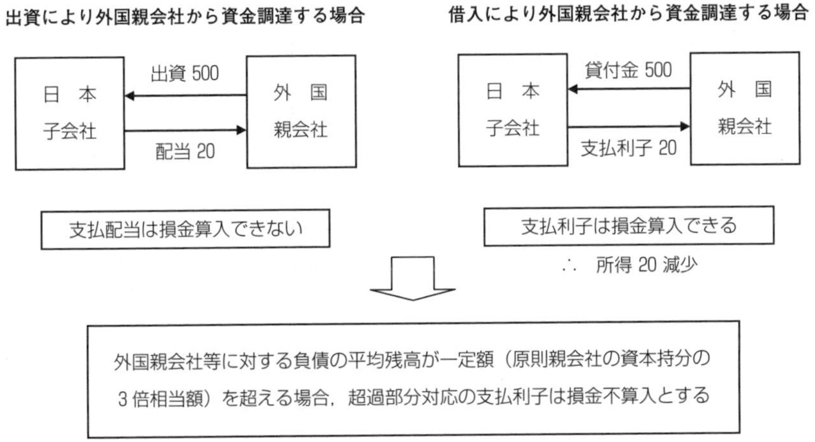

8．過大支払利子税制の概要

日本企業が海外の債権者に支払った一定の利子(注1)のうち，所得金額に比べて過大であるとされた金額（調整所得金額の20％超部分(注2)）については，損金算入を認めないとする制度です。

ただし，対象純支払利子等の額が2,000万円以下である等，一定の場合にはこの制度の適用はありません。

この制度は，過少資本税制と同様に，国外関連企業への多額の利子支払いにより日本の課税所得を圧縮することを防止する趣旨から創設された制度ですが，過少資本税制は資金調達方法（出資か借入か）に着目し，過大支払利子税制は所得構成（所得のうち支払利子がどのくらいか）に着目する点で異なります。

（注１） この制度の対象となる支払利子は，利子の受領者において日本で課税されない利子であるため，主に国外への支払利子が対象となります。

（注２） 調整所得金額とは所得金額に対象純支払利子等の額を加算する等の一定の調整を行った金額をいいます。

過大支払利子税制のしくみ

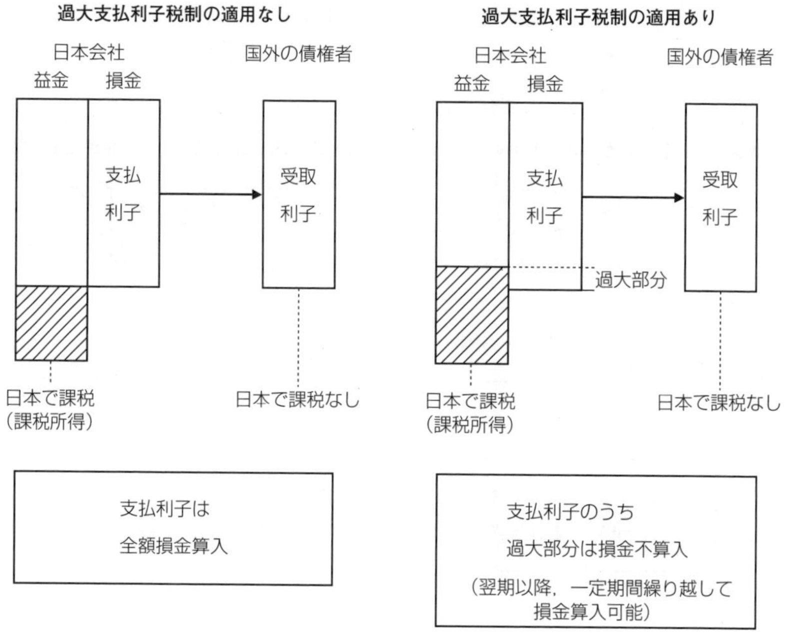

9．グローバルミニマム課税の概要

2023（令和５）年度税制改正において，グローバルミニマム課税の一部が導入されました（残りの制度は2025（令和７）年度以降の法制化が検討されている）。

グローバルミニマム課税とは，法人税の引下げ競争に歯止めをかけるために所在地国に関わらず最低15％以上の課税を確保するための税制で，2021年10月に日本を含む136か国の間で導入が合意されました。

2023（令和５）年度税制改正で導入された制度は所得合算ルールといい，実効税率15％未満の国に所在する子法人等がある場合には，日本の親会社において15％に不足する分を追加課税するという制度です。

適用対象となるのは，直近の４会計年度のうち連結総収入金額が7.5億ユーロ（１ユーロ160円換算で1,200億円）以上の年度が２年度以上ある多国籍企業グループ等の親法人です。

所得合算ルールは2024（令和６）年４月１日以降に開始する対象会計年度（最上位の親会社の連結会計年度）から適用されます。

制度のイメージ

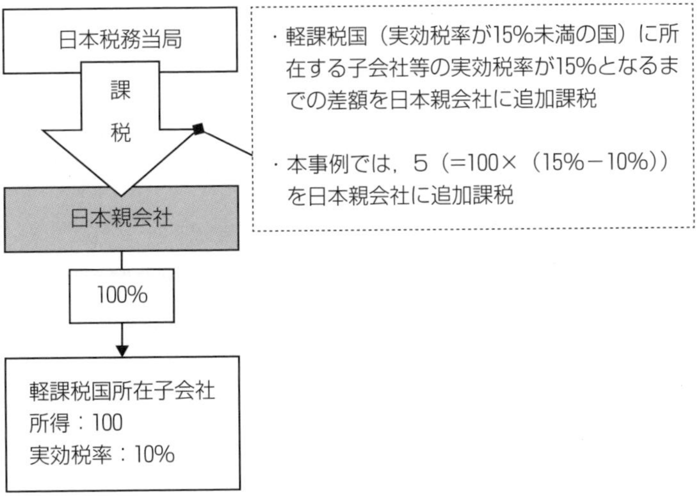

＜監修者紹介＞

税理士法人　山田&パートナーズ

〈国内拠点〉

【東 京 本 部】〒100-0005　東京都千代田区丸の内１－８－１　丸の内トラストタワーＮ館８階　TEL：03-6212-1660

【札幌事務所】〒060-0001　北海道札幌市中央区北一条西４－２－２　札幌ノースプラザ８階

【盛岡事務所】〒020-0045　岩手県盛岡市盛岡駅西通２－９－１　マリオス19階

【仙台事務所】〒980-0021　宮城県仙台市青葉区中央１－２－３　仙台マークワン11階

【北関東事務所】〒330-0854　埼玉県さいたま市大宮区桜木町１－７－５　ソニックシティビル15階

【横浜事務所】〒220-0004　神奈川県横浜市西区北幸１－４－１　横浜天理ビル４階

【新潟事務所】〒951-8068　新潟県新潟市中央区上大川前通七番町1230－７　ストークビル鏡橋10階

【金沢事務所】〒920-0856　石川県金沢市昭和町16-１　ヴィサージュ９階

【長野事務所】〒380-0823　長野県長野市南千歳１-12-７　新正和ビル３階

【静岡事務所】〒420－0853　静岡県静岡市葵区追手町１－６　日本生命静岡ビル５階

【名古屋事務所】〒450-6641　愛知県名古屋市中村区名駅１－１－３　JRゲートタワー41階

【京都事務所】〒600-8009　京都府京都市下京区四条通室町東入函谷鉾町101番地　アーバンネット四条烏丸ビル５階

【大阪事務所】〒541-0044　大阪府大阪市中央区伏見町４－１－１　明治安田生命大阪御堂筋ビル12階

【神戸事務所】〒650-0001　兵庫県神戸市中央区加納町４－２－１　神戸三宮阪急ビル14階

【広島事務所】〒732-0057　広島県広島市東区二葉の里３－５－７　グラノード広島６階

【高松事務所】〒760-0025　香川県高松市古新町３－１　東明ビル６階

【松山事務所】〒790-0003　愛媛県松山市三番町４－９－６　NBF松山日銀前ビル８階

【福岡事務所】〒812-0011　福岡県福岡市博多区博多駅前１-13-１　九勧承天寺通りビル５階

【南九州事務所】〒860-0047　熊本県熊本市西区春日３－15－60　JR熊本白川ビル５階

【鹿児島事務所】〒892-0847　鹿児島県鹿児島市西千石町11－21　鹿児島MSビル５階

〈海外拠点〉

【シンガポール】1 Scotts Road #21－09 Shaw Centre Singapore 228208

【中国（上海）】上海市静安区南京西路1515号　静安嘉里中心１座12階1206室

【ベトナム（ハノイ）】26th floor West Tower, Lotte Center Hanoi, 54 Lieu Giai, Cong Vi, Ba Dinh, Hanoi, Vietnam

【ベトナム（ホーチミン）】 19th floor, Sun Wah Tower, 115 Nguyen Hue, Ben Nghe, Quan 1, Ho Chi Minh, Vietnam
【アメリカ（ロサンゼルス）】1411 W. 190th Street, Suite 370, Gardena, CA 90248 USA
【アメリカ（ホノルル）】 1441 Kapiolani Blvd., Suite 910, Honolulu, HI 96814 USA
【台湾（台北）】105001　台湾市松山區復興北路369號６樓之７　※アライアンス事務所

〈沿　革〉

1981年４月　公認会計士・税理士　山田淳一郎事務所設立
1995年６月　公認会計士・税理士　山田淳一郎事務所を名称変更して山田＆パートナーズ会計事務所となる。
2002年４月　山田＆パートナーズ会計事務所を組織変更して税理士法人山田＆パートナーズとなる。
2005年１月　名古屋事務所開設
2007年１月　関西（現大阪）事務所開設
2010年12月　福岡事務所開設
2012年６月　東北（現仙台）事務所開設
2012年11月　札幌事務所開設
2014年１月　京都事務所開設
2014年11月　金沢事務所・静岡事務所・広島事務所開設
2015年11月　神戸事務所開設
2016年７月　横浜事務所開設
2016年10月　北関東事務所開設
2017年７月　盛岡事務所開設
2017年11月　新潟事務所開設
2018年４月　高松事務所開設
2019年７月　松山事務所開設
2020年７月　南九州事務所開設
2022年１月　長野事務所開設
2023年７月　鹿児島事務所開設

〈業務概要〉

法人対応，資産税対応で幅広いコンサルティングメニューを揃え，大型・複雑案件に多くの実績がある。法人対応では企業経営・財務戦略の提案に限らず，M＆Aや企業組織再編アドバイザリーに強みを発揮する。また，個人の相続や事業承継対応も主軸業務の一つ，相続税申告やその関連業務など一手に請け負う。このほか医療機関向けコンサルティング，国際税務コンサルティング，新公益法人制度サポート業務にも専担部署が対応する。

<編著者紹介>

宇田川　隆（うだがわ　たかし）

税理士法人山田＆パートナーズ　社員
アドバイザリー本部　本部長　税理士

2002年税理士法人山田＆パートナーズ入社。
法人顧問・相続・事業承継・M&A と幅広く案件を経験した後，コーポレートサービス専門部署としてアドバイザリー本部創設。
現在は M&A・組織再編・事業承継・資本政策等の資本戦略コンサルティングに従事している。

【主要著書】
「企業組織再編の会計と税務　第８版」「非上場株式の評価・税務Q&A －相続・贈与／売買／組織再編／自己株式取得」（すべて共著）他。

<執筆者一覧>（50音順）

石井啓（税理士），岡元譲（税理士），落合祥央（税理士），小高庸子，清水秀宝（税理士），田中匠（税理士），鶴田由美子（税理士），土井健（税理士），平山裕子，三浦康太，森口直樹（公認会計士・税理士），山田哲也（公認会計士）

図解　法人税法「超」入門
〔令和6年度改正〕

2005年6月10日　初版発行
2024年8月10日　令和6年度改正

監修者　税理士法人山田&パートナーズ
編著者　宇田川隆
発行者　大坪克行
発行所　株式会社 税務経理協会
〒161-0033東京都新宿区下落合1丁目1番3号
http://www.zeikei.co.jp
03-6304-0505
印　刷　株式会社　技秀堂
製　本　株式会社　技秀堂
デザイン　原宗男

本書についての
ご意見・ご感想はコチラ

http://www.zeikei.co.jp/contact/

ISBN 978-4-419-07225-4　C3032